Hören Sie auf, es allen recht zu machen: Behaupten Sie sich, ignorieren Sie was andere denken, eliminieren Sie Schuldgefühle & seien Sie kein Feigling mehr

Von Patrick King
Coach für soziale Interaktion
und Konversation
www.PatrickKingConsulting.com

Inhaltsverzeichnis

Kapitel 1: Das fatale Bedürfnis zu gefallen

Ich hatte einmal eine Freundin namens Muriel. Sie arbeitete in einem großen Technologieunternehmen. Sie war in einer Position im mittleren Management, wovon große Technologieunternehmen scheinbar nicht genug bekommen können.

Muriel war sehr angesehen, weil sie selbstlos zu sein schien und oft die Last des gesamten Büros auf sich nahm. Sie nahm gerne jedes Stück Arbeit an, das ihr Vorgesetzter hatte, auch wenn es andere Leute gab, die es erledigen konnten. Tatsächlich nahm Muriel manchmal Aufgaben von anderen Vorgesetzten an als von ihrem eigenen. „Ich versuche nur, die Last zu tragen und zu helfen", sagte sie dann.

Muriel hatte die Angewohnheit, über ihre Pflichten hinauszugehen. Sie arbeitete hart, um so vielen Leuten wie möglich entgegenzukommen. Sie übernahm Präsentationen, an denen ihre Kollegen festhingen. Sie blieb mindestens zwei Abende pro Woche länger. Vielleicht zweimal im Monat ging sie zum Mittagessen aus und bot an, Sandwiches für ihre gesamte Einheit mitzubringen. Meistens verlangte sie kein Geld dafür.

Ihr Gedanke war, dass sie sich zu einem unschätzbaren Wert für die Organisation machen musste. Das war für Muriel besonders wichtig, weil sie Angst hatte, arbeitslos zu sein - sie war 22 Monate lang arbeitslos gewesen und dachte, niemand würde sie jemals wieder einstellen. Sie dachte, wenn sie besonders hart arbeitete, würden die anderen Leute im Büro sie als unentbehrlich ansehen und sie niemals ersetzen können.

Aber irgendwann verwandelte Muriel diese Besessenheit in unbewussten Gehorsam. Sie wollte nicht nur alle um sich herum zufrieden und glücklich machen, sondern versteinerte auch völlig, wenn es darum ging, in irgendeiner Weise Wellen zu schlagen.

Muriel arbeitete in der Marketingabteilung. Ihre Aufgabe war es, Design-Elemente für Produktverpackungen vorzuschlagen und auszuführen, die die Produkte ihrer Firma attraktiv aussehen ließen. Sie hatte an der Uni Kunst und Grafikdesign studiert und glaubte fest an das Prinzip „weniger ist mehr" - dass man eine Produktverpackung nicht mit zu viel Tand, überflüssigen Informationen oder schlechten Bildern überfrachten sollte. Die Markttrends stimmten ihr mit überwältigender Mehrheit zu, ebenso wie die Verkaufsdaten.

Unglücklicherweise *liebten* ihre Manager diesen ganzen Kram. Sie glaubten, dass die

Kunden jede einzelne Information, die sie möglicherweise haben wollten, direkt auf der Verpackung sehen wollten.

Muriel wusste, dass das nicht stimmte und wollte etwas dazu sagen. Aber sie tat es nicht. Sie hatte Angst, in irgendeiner Weise für Aufruhr zu sorgen. Sie wollte ihren Job nicht verlieren. Also nickte sie bei Design-Meetings einfach zustimmend und unterstützte die Entscheidung, die Verpackung ihres neuen Produkts mit unattraktiven Bildern, ausführlichen, aber unleserlichen Informationen und einem lausig aussehenden Cartoon-Maskottchen-Hasen zu überladen, der nichts mit der Firma oder dem Produkt zu tun hatte.

Das Produkt scheiterte auch aus anderen Gründen als nur der Verpackung, aber es half nichts. So oder so dachte Muriel, dass sie genug getan und hart gearbeitet hatte, um ihren Job zu behalten, weil sie sich bemüht hatte, alle zufrieden zu stellen.

Aber als zwei Monate nach dem Scheitern des Produkts die Entlassungen begannen, war Muriel die erste, die entlassen wurde. Sie war gedemütigt. Sie war der Meinung, dass sie alles richtig gemacht und sich für das Unternehmen unersetzlich gemacht hatte. Als sie nach dem Grund fragte, sagte die Personalabteilung, sie habe nicht genug getan, um sich als wichtige Mitarbeiterin für das Unternehmen auszuzeichnen. Sie schien keine Ideen zu haben, um das Unternehmen voranzubringen, und schien damit zufrieden zu sein, nur das Büro in Ordnung zu halten.

Muriel verfiel in einen regelrechten Panikmodus. Was passiert war, war das genaue Gegenteil von dem, was sie glaubte: Halte den Kopf unten, arbeite hart, und du wirst richtig belohnt. Sie wollte, dass jeder, mit dem sie arbeitete, zufrieden war und sich unterstützt fühlte, aber sie wurde irgendwie dafür bestraft.

Was war die Ursache für Muriels Untergang? Sie war darauf fokussiert, anderen zu gefallen und deren Anerkennung zu erlangen und stellte ihre eigentlichen beruflichen Prioritäten hinten an. Sie tat nicht das, wofür sie angestellt war und handelte nur, um Gefühle der Ablehnung zu vermeiden. Im Nachhinein betrachtet ist es keine Überraschung, was ihr passiert ist.

Muriel war, kurz gesagt, ein People-Pleaser und ein krasses Beispiel dafür, wie selbstzerstörerisch People-Pleasing sein kann.

Was ist People-Pleasing?

Großzügigkeit und Freundlichkeit sind ausgezeichnete Eigenschaften, die man besitzen sollte. Sie helfen bei der Kommunikation und Kooperation zwischen Menschen. Sie sind notwendig, damit Gesellschaften miteinander auskommen können. In fast jedem Szenario schlagen sie die Alternativen von Egoismus und Feindseligkeit. Dies sind Eigenschaften, die uns aus gutem Grund von Kindheit an eingetrichtert werden.

Aber verwechseln Sie People-Pleasing nicht mit Großzügigkeit und Freundlichkeit. Sie mögen von außen betrachtet identisch erscheinen, aber was eine großzügige Person und einen People-Pleaser antreibt, könnte nicht unterschiedlicher sein.

Ein „People-Pleaser" ist durch und durch freundlich, wie Sie an Muriels Beispiel sehen können. Der Antrieb für ihre Freundlichkeit ist *nicht*, dass es so richtig ist oder dass sie das Leben der Menschen bereichern wollen. Anstatt aus dem aufrichtigen Wunsch heraus, die Welt zu einem besseren Ort zu machen, entspringt das „People-Pleasing" der Unsicherheit, Angst und Scham.

Ein People-Pleaser ist besorgt über Ablehnung. Er hat, wie wir alle, das Bedürfnis, akzeptiert und geschätzt zu werden - geliebt zu werden. Aber bei People-Pleasern ist dieses Bedürfnis so stark ausgeprägt, dass sie sich verrenken, nur um diese Liebe oder Akzeptanz nicht zu verlieren. Sie sind eher davon getrieben, negative Konsequenzen zu vermeiden, als positive Möglichkeiten zu schaffen. Außerdem haben sie das Gefühl, dass sie immer am Rande der Ablehnung stehen, so dass diese Dringlichkeit eine Art von Panik verursacht, die dadurch gekennzeichnet ist, dass sie alles Mögliche tun. People-Pleasing ist ein *defensiver* Akt, während echte Fürsorge und Großzügigkeit positiv-bestätigende Praktiken sind.

Der People-Pleaser sucht gleichzeitig auch nach Anerkennung, denn Anerkennung ist das Zeichen, dass es keine Ablehnung gegeben hat. Aus diesem Grund werden sie für ein einfaches Lächeln und ein

Dankeschön durch Reifen springen. Diese Elemente zusammengenommen erschaffen jemanden, der das Gefühl hat, anderen immer dienen zu müssen, um akzeptiert zu werden. Einige spezifische Impulse stehen hinten an - kommt Ihnen das bekannt vor?

People-Pleaser sind in allen Situationen immer fröhlich - nach außen hin. Ein People-Pleaser beschwert sich nie über irgendetwas. Sie haben keine offensichtlichen negativen Gefühle. Sie haben immer ein Lächeln im Gesicht - zumindest, wenn andere sie beobachten. Sie denken, dass sie das tun, damit alle um sie herum glücklich sind, wobei ihr aufgesetzt sonniges Verhalten bei diesen Menschen wahrscheinlich Unbehagen hervorruft. Sie sind durchschaubarer, als ihnen bewusst ist, und in der Nähe von jemandem zu sein, der offensichtlich eine Maske aufsetzt, ist abstoßend und unangenehm. Im besten Fall wirkt es unehrlich, im schlimmsten Fall ist es manipulativ.

People-Pleaser setzen nie durch, was sie denken, glauben oder wollen - selbst wenn sie unglücklich sind. Bei People-Pleasern dreht sich alles um alle anderen. Wenn sie mit jemandem ausgehen, werden

15

sie nie vorschlagen, was sie tun oder wohin sie gehen sollen. Sie werden nie etwas sagen, auch wenn ihnen etwas absolut nicht gefällt. Sie wollen nie der Grund für Unglücklichsein oder Unzufriedenheit sein. Sie stimmen einfach mit der allgemeinen Stimmung der Gruppe überein, anstatt zu riskieren, abgelehnt zu werden oder ein Außenseiter zu sein. Sie haben das Gefühl – berechtigt oder unberechtigt - dass sie mit allem einverstanden sind. Dadurch kann sich der Groll im Laufe der Zeit nach und nach aufbauen, bis sie zu einem Vulkan werden, der kurz vor der Explosion steht.

People-Pleaser *versprechen, alles für jeden zu tun - auch* **wenn sie es hassen oder lügen.** People-Pleaser haben die Angewohnheit, ihren Freunden das Blaue vom Himmel zu versprechen. Sie versprechen, Dinge zu tun, die ihre Freunde nicht tun wollen, oder Dinge, von denen sie wissen, dass sie ihre Freunde erfreuen werden und eine Reaktion von „Vielen Dank! Du bist der Beste!" hervorrufen wird. Sie *sagen* nur, dass sie es *tun werden*, mit der Absicht, vorübergehend Anerkennung zu bekommen und ihre Freunde glücklich zu machen. In Wirklichkeit verärgern ihre falschen Versprechen und ihre Untätigkeit ihre Freunde nur, da es offensichtlich wird, dass sie bereit sind, unehrlich zu sein und nur das zu sagen, was die Leute hören wollen.

People-Pleaser bitten nie um etwas - selbst wenn sie es brauchen. Der People-Pleaser gibt vor, seine Bedürfnisse als unwichtig abzustreiten und wird deshalb nie etwas von jemand anderem verlangen. Er will als fürsorglich und uneigennützig angesehen werden. Und selbst wenn ein „People-Pleaser" den Mut aufbringt, *tatsächlich* um etwas zu bitten, wird er der Person, die er um etwas bittet, eine Million verschiedener Optionen oder Gelegenheiten geben, Nein zu sagen. Er will die Wahrscheinlichkeit minimieren, dass er andere im Geringsten belästigt oder verärgert. Während er darüber redet, wie selbstlos er ist, wird der People-Pleaser darüber meckern, dass seine Bedürfnisse nicht erfüllt oder angesprochen werden.

Was also treibt den People-Pleaser zu diesen scheinbar unehrlichen und passiv-aggressiven Verhaltensweisen?

Wie bereits erwähnt, werden People-Pleaser von einer tiefen und durchdringenden Angst vor Ablehnung angetrieben. Sie fürchten sich davor, von anderen verschmäht oder verlassen zu werden, und diese Angst spielt eine weitaus größere Rolle bei ihrem People-Pleasing als echte Gefühle des guten Willens. Wenn sie geben und geben und geben, glauben sie, dass die Wahrscheinlichkeit, zurückgewiesen oder verlassen zu werden, geringer ist. Sie tun das, was sie tun, nicht wirklich, um das Leben eines anderen zu verbessern - sie wollen sich nur *selbst* positiver fühlen.

Das heißt aber nicht, dass alle People-Pleaser insgeheim gemeine, schreckliche Bestien sind, die nur auf ihre eigenen Bedürfnisse aus sind. Sie *können* aufrichtig rücksichtsvoll und nett sein. Sie *können* aufrichtig um das Wohlergehen ihrer Familie und Freunde besorgt sein. People-Pleaser wissen einfach nicht, was sie wirklich dazu treibt, es allen recht zu machen. Und sie sind sehr verwirrt und fragen sich, warum sie sich nach all ihren Bemühungen verbittert, verärgert oder traurig fühlen.

Betrachten Sie die folgenden Charaktereigenschaften, Emotionen oder Selbstüberzeugungen. Wenn Ihnen ein paar davon unangenehm bekannt vorkommen, dann sind Sie vielleicht ein People-Pleaser.

- Sie können nicht nein sagen.

- Sie sagen ja, meinen aber eigentlich nein.

- Sie stimmen etwas zu, aber dann grummeln Sie leise vor sich hin.

- Sie erklären sich bereit, etwas zu tun, werden aber wütend auf denjenigen, der Sie darum gebeten hat.

- Sie beschweren sich, dass zu viele Ihrer Freunde und Familie Sie für selbstverständl ich halten.

- Sie haben das Gefühl, dass Ihre Liebesbekundu ngen nicht auf Gegenseitigkeit beruhen oder nicht richtig erwidert werden.

- Sie fühlen sich nicht gewürdigt für all die Dinge,

19

die Sie für andere tun.

- Sie fühlen sich verärgert, angefeindet, missverstanden oder übergangen.

- Sie fühlen sich ungewollt, ungeliebt, nicht wertgeschätzt oder nicht beachtet.

- Sie bemühen sich, andere Menschen nicht zu beunruhigen oder zu irritieren.

- Sie fühlen sich erschöpft oder ausgelaugt von Menschen, zu denen Sie nur

schwer Nein sagen können.

- Sie fühlen sich schuldig, wenn Sie etwas tun, was Sie gerne tun.

- Sie erwarten, dass andere wahrnehmen, warum Sie unglücklich sind, ohne dass Sie es ihnen sagen müssen. Sie werden dann wütend, wenn sie es nicht tun.

- Sie versuchen, so zu sein, wie andere Sie haben möchten.

- Sie sagen nicht Ihre eigene

Meinung, sondern stimmen in der Regel einfach der Meinung anderer zu.

- Sie können Ihre Emotionen nicht zeigen, wenn sie sich von denen von Freunden oder Familie unterscheiden.

- Sie ziehen sich zurück, um sich nicht aufzuregen.

- Es fällt Ihnen schwer, für sich selbst einzustehen.

- Sie sind nicht aggressiv genug, um das zu tun, was Sie tun müssen.

- Sie sagen nie, wie Sie sich fühlen, weil Sie Angst haben, dass Sie Unbehagen verursachen könnten.

- Sie möchten einfach nur, dass alle in Frieden und Harmonie zusammen leben und nie wieder ein Problem mit irgendjemandem oder irgendetwas haben. Und vielleicht möchten Sie ein Einhorn oder einen Kobold an der

Seite haben.
Kein Problem,
richtig?

Was ist die Ursache für People-Pleasing?

Gewohnheiten entwickeln sich selten im luftleeren Raum, und „People-Pleasing" ist da keine Ausnahme. Es gibt viele mögliche Ursachen für People-Pleasing, und oft wird auf die Kindheit als Ursprung verwiesen. Aber wer auch immer es war und unter welchen Umständen auch immer, Ihre Tendenz zum People-Pleasing wurzelt darin, dass Sie von jemandem missbilligt oder abgelehnt wurden, von dem Sie Bestätigung suchten. Das können Ihre Eltern, Lehrer, Klassenkameraden, missbrauchende Partner, egoistische Freunde oder einfach nur ätzende Menschen gewesen sein.

Diese negativen Reaktionen (vor allem, wenn sie in Form von körperlichem oder emotionalem Missbrauch kamen) haben Ihr schlechtes Selbstwertgefühl weiter verstärkt. Das ist die Macht der ständigen Ablehnung - Sie werden alles menschenmögliche tun, um sie zu verhindern, und das nimmt oft die Form an, anderen gefallen zu wollen. Die Art und Weise, wie Sie sich selbst und anderen

Ihren Wert beweisen können, besteht darin, unterwürfig zu sein und zu versuchen, jedermanns Wünschen gerecht zu werden.

Kindliche Wurzeln des People-Pleasing. Die mächtigsten und präsentesten Einflussfaktoren in jeder Familie - mehr als der Glaube oder der kulturelle Hintergrund - sind die Eltern oder Erziehungsberechtigten des Haushalts. Eltern sollen die Beschützer sein, die Kräfte, die uns vor Leid, Schaden und Verzweiflung bewahren. Kinder bringen ihren Eltern scheinbar *bedingungslose* Liebe entgegen oder sind zumindest in Bezug auf Sicherheit von ihnen abhängig.

Unsere Kindheitserfahrungen mit Eltern oder anderen familiären Autoritätspersonen formen unsere Einstellungen und Verhaltensweisen, die zum Vorschein kommen, wenn wir erwachsen geworden sind. Der Psychologe Hap LeCrone, der sich speziell mit dem Problem des „People-Pleasing" befasst, bestätigt: „Das Problem kommt oft von lang gehegten Gefühlen und Überzeugungen der Unzulänglichkeit, die auf die Kindheit und Jugend zurückgehen, als die Versuche des People-Pelasgers, den Eltern oder

Bezugspersonen zu gefallen, zurückgewiesen, an Bedingungen geknüpft oder anderweitig unerreichbar waren."

Als solches sucht ein Kind verständlicherweise nach Lob und Bestätigung von seiner Mutter, seinem Vater oder seinem Erziehungsberechtigten. Jahrhunderte der Evolution haben diesen Impuls in uns zementiert - unseren Eltern zu gefallen ist ein Überlebensinstinkt.

Aber wenn ein Kind etwas tut, das sie irritiert oder verärgert, könnten die Eltern oder Erziehungsberechtigten ihre Missbilligung ausdrücken, möglicherweise durch Bestrafung. Wir verstehen ihre Liebe dann als *bedingt*. Wenn wir uns nicht so verhalten, wie unsere Eltern es wollen, spüren wir, dass sie uns ablehnen. Wir nehmen sie vielleicht als emotional nicht verfügbar oder bestenfalls als nur gelegentlich verfügbar wahr.

Wenn wir uns in unserer Kindheit immer wieder missbilligt fühlen, übernehmen wir diese Missbilligung selbst - sie wird zu dem, was *wir* denken, wie wir sind. Wir verinnerlichen diese Missbilligung als *„nicht genug"* und *„unzureichend"*. Das wiederum schadet unserem Selbstvertrauen und Selbstwertgefühl. Wenn die wichtigsten Personen in Ihrem Leben sagen würden, dass Sie ein hässliches Entlein sind, würden Sie das wahrscheinlich auch glauben. Genauso verhält es sich mit unserem Selbstvertrauen und Selbstwertgefühl - eine Botschaft oft genug zu hören, besonders in der Kindheit, wenn das Gehirn wie ein Schwamm alles aufsaugt, kann bis weit ins Erwachsenenalter hinein schädlich sein.

Diese Botschaften prägen, wie wir unsere anderen, erwachsenen Beziehungen sehen. Wir erlauben Freunden, Arbeitgebern und anderen wichtigen Personen - und nicht uns selbst - zu entscheiden, wie wertvoll wir sind.

Wir ignorieren unsere eigenen Bedürfnisse und machen Überstunden für sie, damit sie uns als wertvolle Menschen sehen, die sie niemals ablehnen würden. Aber der Wert, den wir durch diese Art von Verhalten empfinden, ist nicht real, und es ist nicht etwas, auf das wir uns langfristig verlassen können. Sie mögen es genießen, den Barista Ihres örtlichen Cafés zu sehen, aber ohne seine Fähigkeit, Kaffee zu kochen, was bleibt da noch? Nicht gerade ein Anreiz, Zeit mit ihm zu verbringen.

Co-Abhängigkeit. Dies ist eine weitere häufige Ursache für „People-Pleasing". Co-Abhängigkeit ist, wenn Sie übermäßig von jemandem abhängig sind, sei es Ihr Ehepartner, Ihr Lebensgefährte oder ein Freund. Wir bemühen uns verzweifelt um ihn und suchen seine Anerkennung. Es kann jedoch sein, dass wir uns den Glauben aneignen, dass Liebe an Bedingungen geknüpft ist und uns nur dann gegeben wird, wenn wir alle Forderungen der anderen Person erfüllen und uns so verhalten, wie sie es will. Wir fürchten vielleicht, verlassen oder zurückgewiesen zu werden, und um das zu kompensieren, versuchen wir, Zuneigung von anderen zu bekommen, indem wir gute Jungen und Mädchen sind. Wenn wir jemandem immer und immer wieder gefallen, gehen wir davon aus, dass er uns für all das, was wir für ihn tun, lieben und akzeptieren wird.

All diese Handlungen und Verhaltensweisen sind Symptome der Co-Abhängigkeit, und sie tragen direkt dazu bei, warum einige von uns unerbittliche People-Pleaser sind. Wir wollen sie nicht im Stich lassen und versuchen alles, um sie glücklich zu machen, damit sie uns weiterhin mögen. Das ist ein verständlicher Impuls - aber er ist auch unausgewogen und belastend.

Versprechen, nicht zu widersprechen. Dies ist eine Sache des People-Pleasing, die mit der Zeit langsam wachsen kann. People-Pleaser trauen sich nicht, etwas zu sagen, das ihre Sicherheit gefährdet. Wir lassen die andere Person immer wählen, wo wir essen, wir stellen ihre Ansichten nie in Frage, auch wenn wir nicht mit ihnen übereinstimmen, und wir schwimmen einfach „mit ihrem Strom", um Störungen oder Meinungsverschiedenheiten zu vermeiden. Schließlich ist jede Meinungsverschiedenheit eine Gelegenheit für Ablehnung. Außerdem wissen wir nie, wie unangenehm die Vergeltung oder Konfrontation sein könnte, also vermeiden wir sie gänzlich.

Dinge, die wir brauchen oder wollen, werden unbedeutend gegenüber dem, was alle anderen brauchen oder wollen. Anstatt unseren eigenen Anliegen eine Stimme zu geben, unterwerfen wir uns denen der anderen. Stellen Sie sich einen Ehepartner vor, dessen Partner starke politische

Überzeugungen hat und alles daran setzt, diese zu bestätigen und zu bekräftigen - obwohl seine eigenen Ansichten vielleicht ganz anders oder sogar gegensätzlich sind. Er hat Angst, dass das Aussprechen seiner Überzeugungen einen unheilbaren Bruch in ihrer Beziehung verursachen wird. Sehr selten ist es ein absichtlicher Akt, die Psyche von jemandem auf diese Weise zu formen, dennoch ist der Instinkt, zu gefallen, weit verbreitet und üblich.

Darüber hinwegkommen? Manche Menschen - am ehesten diejenigen, die uns auf diese Weise beeinflussen - könnten sagen, dass alles Gerede über Probleme, die wir in der Vergangenheit hatten (besonders in der Kindheit), eine Ausrede ist. „Wie lange hast du gebraucht, um darüber hinwegzukommen? Warum lässt du das nicht einfach hinter dir?!" Sie werden wahrscheinlich nicht verstehen, wie ironisch das klingt, denn es ist eine Form der Ablehnung.

Aber um ihre Frage zu beantworten: Sie können nicht nur nicht schnell darüber hinwegkommen, sondern Sie haben auch nicht wirklich eine Wahl. Vor allem wiederholte Traumata und Misshandlungen haben langanhaltende Auswirkungen, die nicht sofort verschwinden, wenn sie aufhören. In seinem Buch *The Divided Mind* erklärt John Sarno: „Gefühle, die zu irgendeinem Zeitpunkt im Leben eines Menschen, auch in der Kindheit, im Unbewussten erlebt wurden, sind dauerhaft. Wut, Verletzung, emotionaler Schmerz und Traurigkeit, die in der Kindheit entstanden sind, werden Sie Ihr ganzes Leben lang begleiten."

Diese tiefsitzenden Themen manifestieren sich immer in unseren Beziehungen. Wir finden unbewusst Partner, Freunde oder Mitarbeiter, die unsere tiefsten Charakterzüge *und* Fehler verstärken. Und wir stellen unsere Erfahrungen in gewisser Weise im Kontext dieser Beziehungen wieder her. Im Fall von People-Pleasing geben wir anderen Menschen die Zügel der Macht und ordnen uns ihnen sofort unter. Das soll nicht heißen, dass man nicht lernen kann, mit diesen Erinnerungen oder Einflüssen zu leben und sich zu entwickeln, aber es ist fast unmöglich, sie zu *vergessen* - was anscheinend das ist, worauf unsere unsympathischen Freunde bestehen. Das ist unrealistisch.

Der Spotlight-Effekt

Wir Menschen neigen zu der Illusion, dass wir von allen anderen beobachtet werden. Wir leben unter den Beschränkungen unseres eigenen Blickwinkels und neigen dazu, zu denken, dass jeder in unserem Umfeld uns beobachtet und beurteilt, wie wir aussehen und uns verhalten. Dies wird als *Spotlight-Effekt oder Rampenlicht-Effekt* bezeichnet und ist ein aufgeblasenes Selbstgefühl, das in unserem Leben und in unseren Beziehungen verschiedene negative Auswirkungen haben kann. Wir haben Angst, tanzen zu gehen, weil wir denken, dass jeder sehen wird, was für schlechte Tänzer wir sind.

Der Spotlight-Effekt ist eine mentale Verzerrung, die dazu führt, dass wir uns täglich dumm und beschämt fühlen. Wir sind uns sicher, dass jeder uns beobachtet und jede unserer Aktionen und Reaktionen katalogisiert und uns im Stillen lächerlich macht, bemitleidet oder verspottet. Dies führt dazu, dass wir unser Verhalten übermäßig modulieren oder uns sogar ganz aus der Öffentlichkeit zurückziehen, um weitere empfundene Peinlichkeiten zu vermeiden.

Aber der Spotlight-Effekt ist fast völlig imaginär. Zum einen ist er nicht „messbar". Wenn jeder mit seinen eigenen Bedürfnissen und Interessen beschäftigt ist, dann kann er seine Energie wirklich nicht auf die Drehungen und Wendungen im Leben einer anderen Person konzentrieren. Höchstens ein paar Leute achten auf die meisten Ihrer Schritte, und das sind wahrscheinlich Leute, denen Sie bereits nahestehen und die Sie vermutlich besser kennen als alle anderen. Und selbst die müssen sich um ihre eigenen Angelegenheiten kümmern.

Wenn Sie keine öffentliche Person, kein Rockstar, kein Social-Media-Star oder sonst jemand mit hoher Sichtbarkeit sind, sind die Augen der Welt höchstwahrscheinlich nicht darauf trainiert, alles zu sehen, was Sie tun und sagen. Selbst wenn Sie eine öffentliche Figur *sind*, kann Ihre Einschätzung, wie sehr die Welt Sie beobachtet, stark verzerrt sein.

Der Spotlight-Effekt kann immer noch ein Problem sein, und er verschlimmert die Misere von People-Pleasern erheblich. Sie sind ohnehin schon besorgt, dass sie hinter den Erwartungen anderer zurückbleiben könnten. Wenn sie aber auch unter dem Spotlight-Effekt leiden, werden diese Gefühle noch verstärkt und vervielfacht, weil sie glauben, dass jede ihrer Bewegungen und Fehler von allen anderen bemerkt wird. Sie sind umso nervöser und wollen um keinen Preis Fehler machen, um jede kleinste Andeutung von Missbilligung oder Ablehnung zu vermeiden. Ihre Besorgnis verwandelt sich in eine regelrechte Panik. Sie haben das Gefühl, wenn sie irgendein Problem nicht schnell genug lösen, werden sie von einer ganzen Gruppe verschmäht.

Um dem Spotlight-Effekt entgegenzutreten, müssen Sie einen großen Schritt aus sich selbst heraus machen, um zu beurteilen, ob andere Menschen wirklich von Ihnen Notiz nehmen. Konzentrieren Sie sich auf die Reaktionen anderer Menschen auf das, was Sie tun, und beobachten Sie diese. Das wird Ihnen zum einen eine Pause von Ihrer eigenen inneren Nervosität verschaffen - das allein erledigt schon einen erheblichen Teil des Problems. Es wird Ihnen wahrscheinlich auch zeigen, dass weit weniger Leute auf jede Ihrer Bewegungen achten, als Sie denken.

Warum Sie kein People-Pleaser sein sollten

Unter dem ständigen Druck zu stehen, es jedem recht zu machen, wirkt sich in mehrfacher Hinsicht negativ auf Sie und Ihre emotionale Gesundheit aus.

Selbstvernachlässigung. Wenn Sie so sehr mit den wahrgenommenen Bedürfnissen anderer beschäftigt sind, schenken Sie sich selbst keine Aufmerksamkeit. Sie könnten Dinge übersehen oder ignorieren, die Sie tun müssen, um für sich selbst zu sorgen. Das kann alles sein, von Sport und Stressbewältigung bis hin zum Bezahlen von Rechnungen und einfach nur Spaß haben. Vielleicht haben Sie sich nach der Arbeit mit Freunden verabredet, die Sie schon eine Weile nicht mehr gesehen haben, aber Sie arbeiten bis in den frühen Abend hinein, um ein Problem zu lösen, das bis zum nächsten Arbeitstag hätte warten können. Oder Sie lassen ein Training ausfallen, um sich um ein Familienproblem zu kümmern, das für Sie nicht wirklich ein Notfall ist.

Dabei handelt es sich nicht nur um mentale oder emotionale Probleme: Sie können sich leicht in körperliche Gesundheitsprobleme verwandeln. Sie müssen in der Lage sein, Ihre Bedürfnisse mit denen anderer Menschen in Einklang zu bringen und ein faires Gleichgewicht zwischen beiden herzustellen.

Verdrängung, Verbitterung und passive Aggression. Wenn Sie sich allen anderen unterordnen, bauen Sie auf natürliche Weise Ärger und Bitterkeit gegenüber den Menschen in Ihrem Leben auf. Nachdem Sie so viel Zeit damit verbracht haben, andere zu beschwichtigen, kann dieser Groll in Form von schneidenden Bemerkungen oder verächtlichen Sticheleien nach außen dringen. Eine solche passive Aggression ist niemals förderlich für Beziehungen und kann mit der Zeit schweren Schaden anrichten.

Ein People-Pleaser muss immer einen Geist des Gebens und der Selbstlosigkeit kultivieren - was dazu führt, dass schwierigere Gefühle wie Wut, Ärger und Feindseligkeit tiefer und tiefer in Sie hineinwachsen. Machen Sie keinen Fehler: Wenn diese negativen Emotionen über einen längeren Zeitraum hinweg nicht anerkannt und angesprochen werden,

werden sie auf heftige, möglicherweise gewalttätige Weise zum Vorschein kommen. Sie könnten einen totalen emotionalen und mentalen Zusammenbruch und möglicherweise auch einen körperlichen Zusammenbruch erleben.

Betrachten Sie einen unterwürfigen Ehepartner, der zu viel Zeit damit verbringt, sich um die Bedürfnisse seines Partners zu kümmern und dafür seine Pläne und Ziele zurückstellen muss. Mit der Zeit muss der Ehepartner vielleicht mit einer langsam brennenden Wut darüber umgehen, dass er nie das tun kann, was er wirklich will, und nach ein paar Monaten des stillen Köchelns kommt alles in einem unvorhergesehenen Wutausbruch gegen den Partner heraus.

Unfähigkeit, das Leben zu genießen. Wenn Sie sich immer Sorgen machen, was Sie alles für andere tun müssen, sind Sie natürlich weniger in der Lage, sich an allem zu erfreuen, was das Leben zu bieten hat. Wie können Sie sich auf Ihr eigenes Glück konzentrieren, wenn Sie so sehr damit beschäftigt sind, für das Glück anderer verantwortlich zu sein? Sie werden geistig und körperlich zu erschöpft sein, um ein gutes Essen, einen Wochenendausflug oder das Spiel Ihres Kindes in der Kleinen Liga zu genießen. Und das könnte zu einem *echten* Spotlight-Effekt führen - Ihre Freunde und Verwandten werden Ihre Unzufriedenheit in Ihrem Gesicht ablesen können. Das kann einen großen Effekt auf unsere Kinder haben: Was signalisieren Sie Ihren Kindern, wenn Sie zwar für sie da sind, aber völlig distanziert und unbeteiligt wirken?

Stress und Depression. Die eigentliche Definition von Stress ist, mehr Wünsche und Bedürfnisse zu haben, als man bewältigen kann. Wenn Sie versuchen, es allen Menschen recht zu machen, die Sie treffen, wächst die Anzahl der Anforderungen an Ihre Zeit mit Sicherheit ohne ein Ende in Sicht. Der Stress dieser unerfüllten Anforderungen gleitet bald in eine ausgewachsene Depression ab, und Sie geraten in einen Kreislauf, dem Sie nur schwer entkommen können. Ihre To-Do-Liste wird nie kürzer, und sie füllt sich immer weiter mit Dingen für *andere* Leute.

Wenn ein „People-Pleaser" damit kämpft, allen Anforderungen gerecht zu werden, von denen er glaubt, dass sie an ihn gestellt werden, steigt der Stresspegel allein durch die Menge an Arbeit, die er sich selbst aufbürdet, ins Unermessliche. Wenn er sich damit erschöpft hat, das Leben für andere besser zu machen, aber keinen eigenen Erfolg erfahren hat, kann das zu einer tiefen Depression führen, die nur dann aufhört, wenn er eine neue Runde des People-Pleasings beginnt. So funktioniert der Kreislauf.

Ausbeutung. Wenn Sie als People-Pleaser bekannt werden, öffnen Sie sich auch der Gefahr, ausgenutzt zu werden. Mehr Leute werden denken, dass Sie bereit sind, alles für sie zu tun, und sie könnten anfangen, Sie mit mehr Bitten zu überhäufen, als es für Sie angemessen ist. Egoistische und ausbeuterische Menschen werden Ihre Schwächen ohne weiteres ausnutzen. Auch Menschen, die *nicht* so gemein sind, werden nicht merken, wenn Sie überfordert sind und Dinge von Ihnen erwarten, die Sie einfach nicht erfüllen können.

Besonders akut ist dies am Arbeitsplatz. Ein leitender Angestellter, der sich mehr um den Gewinn sorgt, könnte Ihnen zum Beispiel eine unangemessene Menge an Arbeit aufbürden, die Sie ohne offensichtliche Beschwerden erledigen. Dann sieht einer Ihrer Kollegen, der im Allgemeinen ein liebenswürdiger Typ ist, wie effektiv und loyal Sie alle möglichen Aufgaben erledigen, und er fängt an, Sie als die „Anlaufstelle" für alle möglichen Dinge zu betrachten. Sie haben keine Ahnung, dass Sie ausgenutzt werden und Nächte im Büro verbringen, einfach weil Sie nicht den Eindruck erwecken, dass Sie sich so fühlen.

Das Bedürfnis nach Kontrolle. Der Mythos über People-Pleasing ist, dass es ein Akt der Selbstlosigkeit und Aufopferung ist. Aber in Wirklichkeit ist es viel egoistischer. Indem Sie versuchen, alles für alle zu tun, versuchen Sie, die Meinungen, Gefühle und Reaktionen anderer Menschen Ihnen gegenüber aus emotionaler Schuld zu manipulieren. In *Wirklichkeit* versuchen Sie, auf heimtückische und hinterhältige Weise Kontrolle über deren Leben und Situationen auszuüben. Im Grunde genommen gefallen und dienen wir, weil wir ein bestimmtes Ergebnis von den Menschen wollen. Wir wollen, dass es eine Quelle emotionaler Schuld gibt, die uns in der Gunst der Menschen oder in ihrer Umlaufbahn hält. Sie können sich vorstellen, wie leicht das manipulativ werden kann. Mit der Zeit entwickelt sich dieser Impuls zu einem Bedürfnis und man wird zu einem Kontrollfreak.

Ich habe das bei Thanksgiving-Familienessen erlebt, bei denen die verantwortliche Köchin (traditionell, offen gesagt, die Mutter) über jede einzelne Aufgabe in der Küche herrscht, trotz der Angebote anderer Gäste, in irgendeiner Weise zu helfen. Die „people-pleasing" Mutter hat alles für alle so gründlich vorbereitet, dass sie glaubt, niemand sonst würde es richtig machen. Also macht sie die ganze Arbeit, isst zehn Minuten lang mit hängenden Augen am Tisch und macht sich dann sofort wieder an die Arbeit mit dem Kürbiskuchen und dem Aufräumen nach dem Essen.

Niemand kennt Ihr „wahres" Ich. People-Pleaser müssen ein Image aufrechterhalten, und das hat seinen Preis. Sie schirmen ab und verbergen Ihre Gefühle bis zu dem Punkt, dass die Leute nicht wissen, wer Sie wirklich sind. Sie kennen nur Ihre Verkleidung. Ihr Wunsch, von allen gemocht und geschätzt zu werden, führt ironischerweise dazu, dass Sie noch einsamer und distanzierter werden - und vielleicht auch noch unauthentisch.

Wenn Ihr „wahres" Ich schließlich zum Vorschein kommt, könnte es viel schlechter aussehen, als Sie es gerne hätten. Vielleicht hüten Sie sich davor, sich zu betrinken, weil Sie dann eher all Ihre privaten Gedanken und Ansichten preisgeben würden, insbesondere abfällige Kommentare über die Leute, denen Sie es die ganze Zeit recht machen wollten. Wären Sie hingegen vorher ehrlicher und offener gewesen, hätten Sie Ihre Beschwerden diplomatischer ausdrücken (und vielleicht schon im Vorfeld lösen) können.

People-Pleasing ist nicht dasselbe wie Großzügigkeit oder Wohlwollen. Es ist nicht etwas, das Sie tun, weil Sie echtes Interesse an der Verbesserung der Menschheit haben oder sich um Ihre Lieben kümmern. Vielmehr ist People-Pleasing eine Manifestation von ungesunden Lücken in unserem Gefühlsleben und dem Bedürfnis, das Ego zu befriedigen. Den Unterschied zwischen einer solchen falschen Freundlichkeit und echtem Mitgefühl zu erkennen, ist einfacher, als Sie vielleicht denken, und entlarvte People-Pleaser werden nicht sehr geschätzt. Noch wichtiger ist, dass sie *sich selbst* nicht genug wertschätzen.

Aber trotz all der stichhaltigen Argumente gegen „People-Pleasing" ist es etwas, das wir immer noch tun. Um dem entgegenzutreten, müssen wir herausfinden, welche Kräfte hinter dem „People-Pleasing" stehen - woher wir die Überzeugung haben, dass wir es tun müssen. Darüber werden wir im nächsten Kapitel sprechen.

Fazit:

- Das Bedürfnis, es anderen recht zu machen, mag großzügig und selbstlos erscheinen, aber es ist eine der egoistischsten Verhaltensweisen. People-Pleasing ist aus Angst, Unsicherheit und dem Bedürfnis nach Anerkennung entstanden. Es basiert auf dem traurigen Glauben, dass Sie nicht genug sind und dass Sie daher Ihren Wert steigern müssen, indem Sie die Bedürfnisse und Wünsche anderer erfüllen.

- Die Ursprünge des People-Pleasing-Instinkts können aus einer Vielzahl von

Quellen stammen, aber die Dynamik ist immer die gleiche. Sie suchten nach Anerkennung, wurden abgewiesen und mussten sich auf andere Weise beweisen. Die Erfahrung lehrte Sie, dass Sie bessere Ergebnisse erzielen, wenn Sie den Menschen dienen und sie umschmeicheln, bis dies zu Ihrer natürlichen Umgangsform wurde.

- Dieser Zwang wird durch den Spotlight-Effekt noch verstärkt, bei dem wir den verzerrten Glauben haben, dass uns jeder ständig beobachtet und uns beurteilt. Das ist schädlich für „normale" Menschen, aber es ist noch schlimmer für People-Pleaser, weil es ihre Unsicherheit auf ein nächstes Level hebt, was eine Reihe von schädlichen Verhaltensweisen verursacht.

- Machen Sie keinen Fehler: People-Pleasing ist schädlich. Sie mögen die Anerkennung, die Sie suchen, kurzfristig bekommen, aber sie wird flüchtig und unecht sein. Dann müssen Sie sich mit den Konsequenzen auseinandersetzen - zum Beispiel mit Unterdrückung und Verdrängung, die sich in passiv-aggressivem Verhalten äußern, bis Sie schließlich wie ein Vulkan explodieren, oder mit einer allgemeinen Beeinträchtigung von Glück und Gesundheit aufgrund der überwältigenden Anzahl von Aufgaben, die Sie sich selbst stellen. Schließlich könnten Sie in ungleichen Beziehungen enden, weil Sie sich in eine untergeordnete Rolle begeben und ständig eine Maske aufsetzen.

Kapitel 2: Die Ursprünge und Ursachen von People-Pleasing

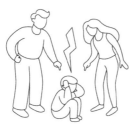

Sie sehen, dass sich jemand vor Ihnen vordrängelt. Sie wissen, dass das nicht richtig ist. Sie verstehen, dass es Ihr gutes Recht ist, die Person daran zu erinnern, wo sie sich hinten anstellen muss. Aber der Gedanke daran, etwas zu sagen, verursacht eine steigende Spannung in Ihnen, die Ihren

Magen zusammenzieht und einen Kloß in Ihrem Hals bildet.

Sie können sich nicht dazu durchringen, es zu tun. Sie beschließen, dass es besser ist, die Sache auf sich beruhen zu lassen, ohne dass es zu einem Eklat kommt. Mit dieser Entscheidung spüren Sie, wie die Anspannung in Ihnen nachlässt, Ihr Magen sich entspannt und Ihre Kehle sich entleert. *Ah, so ist es besser.*

Wenn Sie ein „People-Pleaser" sind oder jemand, der ständig das Gefühl hat, sich nicht behaupten zu können, sind Ihnen die oben beschriebenen Empfindungen vielleicht nur allzu vertraut. Sie fühlen sie jedes Mal, wenn Sie Nein zu den Bitten anderer sagen wollen oder Gefühle und Meinungen haben, die dem zuwiderlaufen, was andere von Ihnen erwarten, oder wenn Sie mit einer Situation konfrontiert werden, in der Sie Prioritäten setzen oder sich in irgendeiner Weise behaupten müssen.

Aber während Sie vielleicht mit der Szene vertraut sind, die sich bei solchen Gelegenheiten abspielt, wie gut kennen Sie das Drehbuch hinter den Kulissen, das Sie

ständig ablaufen lassen? Haben Sie schon
einmal darüber nachgedacht, hinter den
Vorhang zu schauen, woher solche
Tendenzen kommen, anderen zu gefallen
und sich selbst nicht durchzusetzen? Was
könnten die Gründe dafür sein, dass Sie
solch überwältigende Spannungen und
negative Emotionen empfinden, wann
immer Sie sich in einer Situation befinden,
in der Sie für sich selbst einstehen, Nein
sagen und andere ablehnen müssen?

In diesem Kapitel wird es darum gehen,
diese Ursprünge, Ursachen und Gründe zu
erforschen, die zugrunde liegenden
Mechanismen, die People-Pleasing und
nicht-entscheidungsfähiges Verhalten
selbst dann noch antreiben, wenn es sich
für den Einzelnen als destruktiv erweist.
Während die populäre Psychologie den
Ursprung solcher Verhaltensweisen einfach
auf Kindheitstraumata zurückführt, ist die
wahre Geschichte ein komplizierteres
Füllhorn psychologischer Unsicherheiten,
verzerrter Überzeugungen und irrationaler
Ängste. Sie *können* mit
Kindheitserfahrungen zu tun haben, sind
aber typischerweise fortlaufende
Denkmuster, die von der aktuellen

Umgebung geformt oder vom Individuum selbst kultiviert werden.

Betrachten Sie den Fall von Jackie. Als Älteste von vier Geschwistern in einem vaterlosen Elternhaus aufgewachsen, lernte Jackie schon früh in ihrem Leben Verantwortung.

Von klein auf wurde sie sehr gut darin, zu spüren, was andere brauchen und wollen, auch wenn sie es nicht sagen, und sie hat es zu ihrer persönlichen Mission gemacht, dafür zu sorgen, dass diese Bedürfnisse und Wünsche erfüllt werden. Sie half ihrer Mutter bei der Hausarbeit, arbeitete neben dem Studium und war die zweite Mutter für ihre jüngeren Geschwister. Dieses Verhaltensmuster durchdrang schließlich auch ihre Freundschaften, Arbeitsbeziehungen und romantischen Bindungen. Sie war stolz darauf, die erste Person zu sein, die jeder anruft, wenn er Hilfe, eine Vertretung oder einfach jemanden zum Zuhören brauchte.

Sie betrachtete den Mangel an Zeit für sich selbst als eine Art Ehrenabzeichen, ein

Zeichen ihrer Selbstlosigkeit und Hingabe an alle um sie herum.

Heute ist Jackie 45 Jahre alt und Mutter von zwei Kindern. Sie lebt immer noch nach der Überzeugung, dass eine würdige Ehefrau, eine verlässliche Mutter und ein insgesamt guter Mensch zu sein bedeutet, andere immer an erste Stelle zu setzen. Sie hat einen Vollzeitjob und kümmert sich gleichzeitig um alles im Haushalt. Sie schämt sich jedes Mal, wenn sie das Gefühl hat, Hilfe von ihrem Mann oder ihren Kindern zu brauchen, wenn es um die Hausarbeit geht.

Sie glaubt, dass sie als Mutter des Hauses für alles verantwortlich ist, von der Einkaufsliste bis dahin, dass alle glücklich und zufrieden sind. Sie fühlt sich schuldig, wenn sie sich Zeit nimmt, um Sport zu treiben, sich regelmäßig untersuchen zu lassen, Spaß mit Freunden zu haben oder einfach nur zu entspannen, weil sie sich der ständig wachsenden Liste von Dingen und Verpflichtungen bewusst ist, die sie nicht einfach abblasen kann, ohne wie eine verantwortungslose Person zu wirken.

Schließlich beginnt Jackie immer häufiger an einer Reihe von körperlichen Beschwerden zu leiden, von Erkältungen über Migräne bis hin zu Stressgeschwüren. Und trotzdem hat sie ein schlechtes Gewissen, wenn sie krank wird - denn dann ist sie nicht mehr in der Lage, ihren erklärten Zweck zu erfüllen, nämlich sich um andere zu kümmern, anstatt dass sich andere auch mal um sie kümmern.

Für Menschen wie Jackie liegt das wahre Problem nicht im People-Pleasing. Solche Verhaltensweisen sind lediglich die sichtbaren Manifestationen tiefer liegender Probleme, wie blaue Flecken auf der Haut, die sich als Folge des darunter liegenden Gewebetraumas zeigen. Mit anderen Worten: People-Pleasing ist ein Symptom und nicht die Ursache.

People-Pleasing kann mehreren Ursachen zugrunde liegen. Insbesondere vier davon tauchen immer wieder auf.

Erstens gibt es bei einigen den verzerrten Glauben, dass es natürlich ist, sich um andere zuerst und um sich selbst zuletzt zu kümmern. In Beziehungen geht es nur um das Dienen, und je einseitiger, desto besser. Mit der Zeit haben sie vielleicht eine solche Tendenz etabliert, sich jedem anderen, dem sie in ihrem Leben begegnen, unterzuordnen. Wenn Sie dieser Überzeugung sind, können Sie leicht verstehen, wie extreme Schuldgefühle Sie daran hindern, etwas anderes zu tun.

Zweitens leiden viele People-Pleaser unter Selbstwertproblemen. Sie haben nur dann ein Gefühl von Selbstwert und eine Chance auf Akzeptanz, wenn sie zu allem, was von ihnen verlangt wird, Ja sagen.

Drittens setzen viele People-Pleaser das Gefallen von Menschen mit Freundlichkeit und gut sein gleich. Umgekehrt setzen sie Nein-Sagen und Selbstbehauptung mit Härte und Schlechtigkeit gleich. Diese Denkweise macht sie anfällig dafür, ausgenutzt zu werden, da sie alles tun, um das Bild zu bewahren, immer „gut" zu sein. "

Und viertens verhalten sich viele People-Pleaser so, weil sie Konfrontationen fürchten. Sie würden sich lieber auf die Zunge beißen, bis sie bluten, als irgendetwas zu sagen, was Wellen schlägt, und bauen sich so letztlich ein Leben voller Groll und unausgedrückter Emotionen auf.

Diese vier spezifischen Ursachen der so genannten Gefallens-Krankheit sind es, auf die sich dieses Kapitel konzentriert. Wenn Ihre persönlichen und beruflichen Beziehungen von dieser Krankheit befallen sind, ist es wichtig, dass Sie zunächst ihre Ursprünge im Kontext Ihrer eigenen Erfahrungen und Ihrer eigenen Psyche verstehen.

Wenn Sie verstehen, warum Sie sich so verhalten, wie Sie es tun, sind Sie besser in der Lage, sich von dieser Tendenz des People-Pleasings befreien können. Sie werden die Denkmuster verstehen, die Sie bei sich selbst erkennen und ändern müssen, sowie die spezifischen Lösungen und umsetzbaren Schritte, die in Ihrer Situation am besten funktionieren werden. Um sich also für die nächsten Schritte auf dem Weg aus dieser selbstzerstörerischen Angewohnheit besser zu wappnen, sollten Sie sich zunächst etwas Zeit nehmen, um alles über die folgenden spezifischen Ursachen des People-Pleasings zu erfahren.

Das Bedürfnis zu gefallen und zu dienen

Von klein auf wurde Ihnen wahrscheinlich beigebracht, dass es immer bewundernswerter ist, auf andere Rücksicht zu nehmen, als sich selbst an die erste Stelle zu setzen. Sie wurden gelobt, wenn Sie großzügig genug waren, die Packung Kekse mit Ihrem Geschwisterchen zu teilen oder dem anderen Kind die Chance zu geben, auf der Schaukel zu spielen, nachdem Sie selbst etwas Zeit darauf verbracht haben. Auf der anderen Seite wurden Sie jedes Mal ermahnt, wenn Sie sich weigerten, zu teilen oder anderen zuliebe zur Seite zu treten.

Sicherlich sind in solchen Lehren und Erfahrungen wichtige Werte verankert - zum Beispiel die der Großzügigkeit und des Mitgefühls -, aber sie werden typischerweise mit so einseitigem Nachdruck gelehrt, dass Sie wahrscheinlich einen verzerrten Glauben entwickelt haben, dass es Ihnen niemals erlaubt ist, sich selbst an die erste Stelle zu setzen.

Sie haben sich angewöhnt zu glauben, dass Sie stattdessen immer anderen dienen und sie an die erste Stelle setzen sollten, bis zu dem Punkt, dass Dinge für sich selbst zu tun, intensive Schuldgefühle Ihrerseits hervorruft. Es spielt keine Rolle, dass solche Dinge eigentlich erwartet werden oder sogar für Ihr persönliches Wohlbefinden notwendig sind. Sie wurden einfach darauf konditioniert zu denken, dass es Grund genug für Verachtung und Selbstvorwürfe ist, diese Dinge für sich selbst zu tun. Sie haben das Bedürfnis, stattdessen anderen zu gefallen und zu dienen, um die Schuldgefühle zu vermeiden, die entstehen, wenn Sie sich selbst in den Vordergrund stellen.

Wenn Sie auf diese Weise zu der Überzeugung gelangt sind, dass es Ihre Aufgabe ist, anderen zu gefallen, würden Sie natürlich denken, dass es Ihren Grundwerten widerspricht, für sich selbst einzustehen und andere zurückzuweisen. Sie erwarten von sich selbst, dass Sie Großzügigkeit und Freundlichkeit aufrechterhalten, indem Sie es anderen immer recht machen. Wenn Sie also jemanden verärgern oder missfallen, weil Sie sich selbst in den Vordergrund stellen, fühlen Sie sich immens schuldig -

Schuldgefühle, die Sie als Zeichen dafür ansehen, dass Sie einen wichtigen moralischen Kodex verletzt haben. Sie betrachten diese großen Schuldgefühle als eine Erinnerung daran, dass es schlecht sein muss, andere zurückzuweisen und sich selbst in den Vordergrund zu stellen, und dass Sie deshalb einfach dabei bleiben sollten, andere immer an die erste Stelle zu setzen.

Zum Beispiel ist Dave ein hart arbeitender, bescheidener Manager, der immer bereit ist, für jedes seiner Teammitglieder den Kopf hinzuhalten. Er denkt, weil er eine Führungskraft ist, ist er für jeden andern in seinem Team verantwortlich. Das geht so weit, dass er am Ende die ihnen übertragenen Aufgaben selbst übernehmen würde, wenn sie es nicht tun. Er glaubt, dass von ihm erwartet wird, dass er der Allrounder für jede Aufgabe und jede Panne ist, und er fühlt sich sehr schuldig, wenn er nicht auf die Bedürfnisse oder Probleme eines jeden Mitglieds eingeht.

Er konfrontiert keinen seiner Untergebenen mit schlechter Leistung oder gar Fehlverhalten, weil er befürchtet, dass sie sich schlecht fühlen, das Vertrauen verlieren oder sich gegen ihn wenden könnten, wenn er das tut. Stattdessen verdoppelt er seine eigenen Anstrengungen, um jeden Fehler zu decken und es allen in seinem Team recht zu machen, selbst wenn das bedeutet, dass er seine persönliche oder familiäre Zeit opfert. Überzeugt davon, dass es zu seinen Pflichten als Führungskraft gehört, alle anderen an die erste Stelle zu setzen, fühlt sich Dave bei dem Gedanken, sich selbst über seine Teammitglieder zu stellen, schuldig.

Zusätzlich zu den Schuldgefühlen, sich selbst an die erste Stelle zu setzen, rührt das intensive Bedürfnis, anderen zu gefallen und zu dienen, auch von einem Gefühl der Verantwortung für die Gefühle und Reaktionen anderer her. Wenn die Verweigerung eines Gefallens dazu führt, dass sich ein Freund schlecht oder vernachlässigt fühlt, haben Sie das Gefühl, dass das an Ihnen liegt.

Sie fühlen sich für jeden entmutigten Gesichtsausdruck oder enttäuschten Blick verantwortlich, weil Sie glauben, Sie hätten die Macht, das zu verhindern, wenn Sie nur dem nachgeben würden, was sie wollen. Und weil Sie sich für das Glück und die geistige Gesundheit aller anderen verantwortlich fühlen, sind Sie bereit, Ihr eigenes zu opfern, nur um alle anderen davor zu bewahren, sich schlecht zu fühlen oder Probleme zu haben. Sie werden übereifrig, alles Nötige zu tun, um alle glücklich zu machen, weil Sie glauben, dass dies ein Zeichen dafür ist, dass Sie sich am besten um Ihre Beziehungen zu anderen kümmern.

Das Problem mit dieser Art von Mentalität ist, dass sie eine verzerrte Sichtweise dessen widerspiegelt, worum es in gesunden, befriedigenden Beziehungen geht. Gesunde Beziehungen beinhalten ein gewisses Maß an Geben und Nehmen, ein Gleichgewicht zwischen der Berücksichtigung der Bedürfnisse anderer und der Sorge dafür, dass Sie Ihre eigenen nicht vernachlässigen. Anderen zu dienen und Glück für die Menschen in Ihrem Leben zu wollen, sind durchaus berechtigte Wünsche - aber nicht auf Kosten Ihrer eigenen Gesundheit und Ihres Glücks.

Unsicherheit und Gefühle der Wertlosigkeit

Eine weitere Hauptursache für People-Pleasing ist ein tiefsitzendes Gefühl der Unsicherheit und Wertlosigkeit. Wenn Sie so viele Unsicherheiten haben und wenig von sich selbst halten, haben Sie das Gefühl, dass Sie jederzeit damit rechnen müssen, abgelehnt zu werden, und Sie haben oft das Gefühl, dass Sie es verdient haben. Sie können sich keinen Grund vorstellen, warum Menschen an Ihnen interessiert sein sollten, geschweige denn Sie gutheißen oder lieben sollten.

Tief im Inneren sind Sie davon überzeugt, dass Sie nicht genug sind, so wie Sie sind, und dass Sie der Liebe nicht würdig sind, und das führt dazu, dass Sie immer auf der Hut vor drohender Ablehnung sind. Sie werden übermäßig empfindlich für alle Anzeichen, die eine solche Ablehnung signalisieren könnten, und das schließt jedes Stirnrunzeln oder jede beiläufige Bemerkung der Enttäuschung von Menschen ein, die Sie versuchen zurückzuweisen.

Diese Erwartung und die Angst vor Ablehnung treiben Sie zum People-Pleasing, da Sie zu der Überzeugung gelangen, dass Sie nur dann einen Wert als Person erlangen, wenn Sie anderen gefallen oder ihnen dienen, wie sie es wünschen. Sie haben nie geglaubt, dass Menschen Sie um Ihrer selbst willen mögen können, und so haben Sie schließlich das Gefühl, sich selbst zu überfordern, indem Sie anderen gefallen oder dienen, um Anerkennung und Liebe zu erhalten.

Sie tun alles, was nötig ist, um den Unmut und die Ablehnung anderer zu vermeiden, denn bei Ihrem schwachen Selbstwertgefühl kann diese Ablehnung sehr wohl der Zerstörung Ihres eigenen Selbstgefühls gleichkommen.

Nehmen Sie zum Beispiel Helen, eine Frau, die ihre Kindheit und Teenagerjahre damit verbrachte, die Anerkennung und bedingte Liebe einer Mutter zu gewinnen, die nur dann Zuneigung verteilte, wenn Helen gehorsames oder unterwürfiges Verhalten zeigte. Jetzt, wo sie selbst Ehefrau und Mutter ist, wiederholt Helen unbewusst immer noch das gleiche Beziehungsmuster mit den Menschen in ihrem Leben. Sie glaubt, dass ihr Mann ihr einen Gefallen tut, nur weil er bei ihr bleibt, und sie fürchtet, dass ihre Kinder entdecken könnten, dass sie ihnen keine gute Mutter ist.

Um ihre Unsicherheit und ihr Gefühl der Wertlosigkeit zu kompensieren, schenkt sie ihnen all ihre Zeit und ihre Dienste und vernachlässigt dabei ihre eigenen Bedürfnisse. Sie hält sich ihrer Liebe nur insofern für wert, als sie mit ihrem Verhalten zufrieden sind.

Sich der Liebe unwürdig zu fühlen, ist etwas, das viele Menschen nicht gerne zugeben. Manchmal ist es sogar etwas völlig Unbewusstes, wie eine unsichtbare, aber tiefe Wunde, von der Sie nicht wissen, dass Sie sie haben, die Sie aber immer noch so sehr schmerzt, dass sie viele Ihrer Verhaltensweisen steuert - ja, einschließlich der People-Pleaser. Vielleicht haben Sie es sich schon lange vor der Pubertät eingestanden. Oder vielleicht haben Sie sich tatsächlich selbst davon überzeugt, dass Sie im Vergleich zu einem Geschwisterkind, das Ihre Eltern immer bevorzugt haben, oder zu

Ihrem beliebten Freund, der immer alle Sterne bekommt, nicht gut sind.

Sie sehen sich selbst als unwürdig an, akzeptiert und geliebt zu werden, denn warum sollten Menschen ihre Zeit und emotionale Energie damit verschwenden, Sie zu lieben, wenn es so viele andere gibt, die besser sind als Sie?

In Ihrem Kern glauben Sie, dass Sie keine Liebe wert sind, die Ihnen frei und bedingungslos gegeben wird. Aber irgendwann einmal sind Sie über diese Idee gestolpert: Sie mögen dieser Liebe nicht würdig sein, so wie Sie sind, aber vielleicht gibt es einen Weg für Sie, diese Liebe zu gewinnen, indem Sie immer versuchen, mehr zu sein, mehr zu geben, mehr zu dienen.

Und so haben Sie sich angewöhnt, anderen zu gefallen und ihnen mit aller Kraft zu dienen, in der Hoffnung, diese Liebe zu bekommen, obwohl Sie sich ihrer nicht würdig fühlen. Sie sehen darin die Lösung, das heilende Elixier für die tiefen Wunden der Unsicherheit und des Gefühls der Wertlosigkeit, die Sie gepflegt haben.

Gleichsetzung von People-Pleasing mit Güte und Selbstbehauptung mit Schlechtigkeit

Die Wichtigkeit, ein guter Mensch zu sein, ist oft eine zentrale Lektion, die zu Hause und in der Schule gelehrt wird, schon in den frühesten Tagen, in denen ein Kind geformt wird. Als Sie ein Kind waren, waren dies wahrscheinlich die ersten Ratschläge, die Ihnen Mama oder Papa gegeben haben: „Sei nett", „Sei freundlich" und „Sei gut".

Diese drei Schlüsselwörter werden auch oft austauschbar verwendet - nett ist gleich freundlich ist gleich gut -, so sehr, dass Sie dazu kommen, diesen Bereich des Verhaltens als schwarz und weiß zu betrachten. Sie glauben, dass Sie immer nett sein müssen, um ein guter Mensch zu sein, und alles, was dieses Bild der Nettigkeit befleckt - zum Beispiel, wenn Sie sich weigern, einen Gefallen zu tun, oder jemanden beschimpfen, weil er Ihre Rechte mit Füßen tritt - macht Sie zu einem schlechten Menschen. Hier ist nicht unbedingt Schuld im Spiel, wie bei dem Bedürfnis, anderen zu dienen. Dies ist lediglich eine stark verzerrte Sichtweise darauf, wie Beziehungen funktionieren sollten.

Eine solche Mentalität, die nett sein mit gut sein und sich behaupten mit schlecht sein gleichsetzt, reicht aus, um bei jedem ein People-Pleasing zu erzeugen. Aber diejenigen, die besonders dazu neigen, in dieser Hinsicht Hardcore-People-Pleaser zu sein, sind diejenigen, die es für sehr wichtig halten, dass sie von allen immer als gute Menschen gesehen werden. Wenn es Ihnen sehr wichtig ist, dass Sie von den Menschen als nett und gut wahrgenommen werden, sind Sie sicherlich bereit, übermäßig viel Zeit und Mühe zu opfern, um die Bedürfnisse und Wünsche aller zu erfüllen.

Sie wollen nicht, dass auch nur eine einzige Person in Ihrem Leben unglücklich darüber ist, wie Sie sich verhalten haben, denn es braucht nur einen Ausrutscher Ihrerseits, um das makellose Image des netten Menschen zu zerstören, das Sie zu schützen versucht haben. Das Ergebnis? Ein hohes Maß an People-Pleasing und die Unfähigkeit, sich zu behaupten.

Zum Beispiel war Bob immer stolz darauf, ein netter Mensch und ein guter Freund zu sein. Er ist der Meinung, dass diese Eigenschaften ihn als Person ausmachen, und er tut alles, was nötig ist, um diesem Image gerecht zu werden. Als er von einem Freund um einen großen Kredit gebeten wird, sagt er zu, obwohl er weiß, dass sein Budget das nicht hergibt. Er glaubt, dass ein Nein ihn zu einem schlechten Freund und letztlich zu einem schlechten Menschen macht, und das will er nicht.

Also tut Bob, was nötig ist, um nicht dieser schlechte Mensch zu sein und ein guter Freund zu bleiben. Er leiht seinem Freund einen Betrag, den er sich nicht leisten kann. Um diesen Betrag auszugleichen, unterlässt er einige Monate lang mehrere notwendige Ausgaben, wodurch sich Säumniszuschläge und Zinsen ansammeln, die er nun selbst abbezahlen muss. Er erträgt die Konsequenzen aus der Angst heraus, dass die Ablehnung der Bitte seines Freundes ihn zu einem schlechten Menschen macht.

Der Wunsch, ein guter Mensch zu sein, und sogar der Wunsch, als jemand angesehen zu werden, der nett ist, sind keine unehrenhaften Wünsche. Aber die Vorstellung, dass man sich nicht behaupten und gleichzeitig ein guter oder netter Mensch sein kann, ist eine verzerrte Vorstellung. Es ist vollkommen akzeptabel, sich durchzusetzen, wenn es die Situation erfordert, und es würde Sie nicht weniger zu einem guten Menschen machen, wenn Sie es tun. Genauso ist die Vorstellung, dass man ein guter Mensch ist, wenn man die ganze Zeit selbstlos ist, eine verzerrte Sichtweise.

Selbstlosigkeit, so edel sie auch erscheinen mag, kann zu einem Laster werden, wenn man sie wahllos einsetzt, nämlich nicht aus echter Sorge um andere, sondern aus dem Bedürfnis heraus, ein Bild zu vermitteln, das andere bewundern können.

Auf der anderen Seite der Medaille steht der Egoismus, der trotz seines schlechten Rufes tatsächlich ein Konzept ist, das es wert ist, neu gelernt und in geregelten Bahnen praktiziert zu werden. Anders verstanden und unter den richtigen Umständen angewandt, kann Egoismus gut sein.

Diese gute, notwendige Art von Egoismus ist eine Zentrierung auf sich selbst, um Ihre Gesundheit zu erhalten und Ihre Energievorräte aufzufüllen, bevor Sie anderen etwas von sich geben, und um zu verhindern, dass Sie sich zu sehr vernachlässigen, indem Sie die Anforderungen aller anderen erfüllen. Um Ihrer eigenen Gesundheit, Ihres Glückes und Ihrer Träume willen müssen Sie diese Art von Egoismus praktizieren, ohne sich schuldig zu fühlen, dass Sie anderen etwas wegnehmen. Indem Sie sich erlauben, manchmal egoistisch zu sein, können Sie sicherstellen, dass Sie sich um andere kümmern und das Glück, das Sie für sie empfinden, besser teilen können.

Furcht vor Konfrontation

Schließlich kann das People-Pleasing auch aus einer Angst vor Konfrontation entstehen. Wenn Sie Angst davor haben, Wellen zu schlagen, geben Sie sich damit zufrieden, das zu tun, was alle anderen wollen. Sie fühlen sich unter Druck gesetzt, jede Bitte anzunehmen und trauen sich nie, nein zu sagen oder für sich selbst einzustehen. Aus dieser Kombination von

Tendenzen und Verhaltensweisen ergibt sich ein einziges Muster: People-Pleasing.

Da Sie ständig Angst haben, Ihre eigenen Meinungen, Gefühle, Wünsche und Bedürfnisse direkt anzusprechen, werden Sie wahrscheinlich zu einem Feigling oder einem Fußabtreter. Hinzu kommt, dass Sie sich vielleicht nicht immer bewusst sind, dass es diese Angst vor Konfrontation ist, die Sie dazu bringt, sich so zu verhalten.

Während das People-Pleasing also in einer Angst vor Konfrontation wurzeln kann, kann diese Angst vor Konfrontation wiederum in noch grundlegenderen Ursprüngen verwurzelt sein. Vielleicht haben Sie Angst davor, Menschen mit dem zu konfrontieren, was Sie wirklich wollen, weil Sie befürchten, dass Sie sowieso nicht gehört werden. Vielleicht haben Sie Angst, dass Sie bei dem Versuch, für sich selbst einzutreten, am Ende nur gedemütigt werden, falls Sie die Auseinandersetzung über die Respektierung Ihrer Rechte nicht für sich gewinnen können.

Sie befürchten vielleicht, dass Sie durch eine Konfrontation Ihren Job, Ihre

Beziehung oder Ihren guten Ruf verlieren könnten. Vielleicht befürchten Sie, dass eine Konfrontation hässliche, unkontrollierbare Emotionen hervorruft - Schuld, Wut und Abscheu, um nur einige zu nennen - sowohl bei Ihnen selbst als auch bei demjenigen, den Sie konfrontieren. Im Endeffekt haben Sie Angst, dass eine Konfrontation die Dinge nur noch schlimmer macht und dass Sie auch damit nicht umgehen können.

Um also zu verhindern, dass die Dinge noch schlimmer werden, haben Sie eine Lösung: Sie vermeiden es, etwas zu sagen, nein zu sagen oder jemanden zu konfrontieren, und gehen einfach den Weg des geringsten Widerstands, wie Sie glauben. Wenn das zufällig Untätigkeit ist, dann sei es so. Mit anderen Worten: Ihre Lösung ist es, ein People-Pleaser zu werden.

Überlegen Sie zum Beispiel, was Sie in einer Situation am Arbeitsplatz tun würden, in der Sie das Gefühl haben, dass Ihre Ideen immer nur schnell beiseitegeschoben werden und Ihnen die unbedeutendsten Aufgaben zugewiesen werden, obwohl Sie wertvolle Fähigkeiten haben und mehr Jahre im Job sind als andere in Ihrem Team.

Sie möchten Ihre Bedenken bei Ihrer Teamleiterin zur Sprache bringen, haben aber Angst, dass Sie bei einer Konfrontation mit ihr nur eingebildet wirken würden oder sie denken könnte, dass Sie ihre Delegationsfähigkeiten in Frage stellen und sie deshalb wütend auf Sie sein könnte. Diese Befürchtungen, Ihr Image und die Beziehung zu Ihrer Führungskraft zu ruinieren, lähmen Sie daher, das Thema anzusprechen und blockieren dadurch jede Chance, Ihre eigene Arbeitszufriedenheit und Ihr berufliches Wachstum zu verbessern.

Eine knifflige Sache bei der Vermeidung von Konfrontation ist, dass es nicht unbedingt bedeutet, dass Sie nicht den Wunsch haben, jemanden mit Ihrer Situation zu konfrontieren. Eine Diskrepanz zwischen dem, was von Ihnen verlangt oder erwartet wird, und dem, was Sie eigentlich tun wollen, erzeugt in Ihnen oft den Wunsch nach Konfrontation. Weil Sie jedoch Angst vor den möglichen Konsequenzen haben, wenn Sie diesem Wunsch nach Konfrontation nachkommen, halten Sie sich mit der Konfrontation zurück.

Das führt oft dazu, dass der Wunsch nach Konfrontation auf andere, meist hässliche und schädliche Weise durchsickert. Anstatt direkt ausgedrückt zu werden, schwappt es auf indirektem Wege in Form von passiv-aggressiven Verhaltensweisen über.

Passiv-aggressive Verhaltensweisen sind indirekte, oft unbewusste Äußerungen von Feindseligkeit. Sie haben vielleicht nicht direkt Nein zu einer Kollegin gesagt, die Sie gebeten hat, einen Bericht in ihrem Namen einzureichen, aber Sie vergessen bequemerweise, diese Aufgabe zu erledigen, um auf diese Weise indirekt Ihren Unmut darüber auszudrücken, dass Sie darum gebeten wurden. Oder Sie versichern Ihrem Ehepartner, dass Sie überhaupt nicht böse sind, dass er Sie während seiner Dienstreise nicht ein einziges Mal angerufen hat, aber Sie revanchieren sich, indem Sie sich kalt verhalten und „vergessen", ihn die ganze Woche über Ihren Aufenthaltsort zu informieren.

Sie haben es zwar geschafft, eine direkte Konfrontation zu vermeiden, um den guten Ton in der Beziehung zu bewahren, aber

Ihre Handlungen gehen nach hinten los, weil Sie zu passiv-aggressivem Verhalten neigen, das die Beziehung ohnehin untergräbt.

Die Vermeidung von Konfrontationen aus Angst, dass sie die Dinge nur noch schlimmer machen könnten, führt ironischerweise genau zu den Ergebnissen, die sie abwenden sollen. Die Abwesenheit von Konfrontationen bedeutet nicht, dass Ihre Beziehung völlig gesund ist, und die Anwesenheit von Konfrontationen bedeutet nicht, dass Ihre Beziehung vor die Hunde gegangen ist. Tatsächlich ist die Fähigkeit, sich über Ihre Angst vor Konfrontationen zu erheben, damit Sie mit Konfliktsituationen besser umgehen können, notwendig, um gesunde Beziehungen zu erhalten.

Ganz gleich, für wie nachgiebig und anpassungsfähig Sie sich halten, Sie werden zwangsläufig irgendwann in einen Konflikt geraten, einfach weil Sie ein Individuum mit eigenen Gedanken, Gefühlen, Bedürfnissen und Werten sind, die sich sehr wohl von denen anderer unterscheiden können. Wenn Sie Ihre Beziehungen zu anderen (und zu sich selbst) gesund erhalten wollen, müssen Sie daher die Fähigkeit besitzen, Konflikte zu tolerieren und Ihre Angst vor Konfrontationen zu überwinden.

People-Pleasing kann eine schwer abzulegende Angewohnheit sein, vor allem, weil es keine eklatant böse Tendenz ist, die man hat. Tatsächlich hilft es Ihnen oft, äußerst sympathisch und großherzig zu erscheinen, und belohnt Sie gelegentlich mit Gefühlen der Zufriedenheit, wenn die Leute Ihnen nach jedem Gefallen, den Sie gewähren, und jeder Übertretung, die Sie durchgehen lassen, mit einem Lächeln und einem Dankeschön antworten.

Aber wenn Sie tiefer in die Ursachen und Ursprünge schauen, warum Sie sich wirklich verbiegen, um anderen zu gefallen, werden Sie erkennen, wie unangenehm das „People-Pleasing" ist, vielleicht nicht in Bezug auf andere, sondern in Bezug auf Ihr eigenes Selbst. Das Festhalten an People-Pleasing ist ein sicheres Zeichen dafür, dass Sie in sich weiterhin ein intensives Bedürfnis kultivieren, anderen zu dienen. Unsicherheiten und Gefühle der Wertlosigkeit, ein falsches Verständnis darüber, was es heißt, ein guter Mensch zu sein, oder eine lähmende Angst vor Konfrontation.

Es ist an der Zeit, sich zu fragen, ob Sie Ihr Leben wirklich so weiterleben wollen, angekettet an die selbstzerstörerische Gewohnheit, rund um die Uhr für alle anderen da zu sein.

Wenn Ihre Antwort „Nein" lautet, dann ist es an der Zeit, sich an den eigenen Haaren aus dem Sumpf zu ziehen. Indem Sie die Ursachen von People-Pleasing verstehen, haben Sie bereits den ersten Schritt getan, um sich von seinen Ketten zu befreien. Jetzt ist es an der Zeit, den nächsten Schritt zu tun, indem Sie lernen, wie Sie für sich selbst einstehen, nein sagen, andere zurückweisen und insgesamt einfach der Manie des People-Pleasings entgegentreten können. Sie haben schon viel zu lange so gelebt, und es ist an der Zeit zu lernen, wie Sie sich selbst besser behandeln können.

Fazit:

• Es gibt viele Ursachen für People-Pleasing, und sie beginnen mit den Überzeugungen, die wir über uns selbst im Verhältnis zu anderen haben. Einfach ausgedrückt: Wir sind nicht gleich; wir sind in irgendeiner Weise niedriger oder minderwertig. Dies führt zu einer zwischenmenschlichen Dynamik, die das People-Pleasing ermöglicht und sogar belohnt. Ich habe sie in vier Hauptkategorien eingeteilt, die diese Überzeugungen verursachen.

- Die erste ist eine verzerrte Definition von Beziehungen und davon, dass Ihre erste Priorität sein sollte, anderen zu dienen, zum Nachteil von Ihnen selbst. Wenn Sie dieser Überzeugung sind, werden Sie von Schuldgefühlen geplagt, wenn Sie versuchen, gegen sie zu handeln.

- Die zweite Ursache ist ein Gefühl von geringem Selbstwert. Wenn Sie nicht das Gefühl haben, dass Sie anderen gleichwertig sind oder dass andere Sie so akzeptieren, wie Sie sind, dann wird klar, dass Ihre einzige Chance auf Akzeptanz darin besteht, sich zu verbiegen und die Launen anderer zu ertragen.

- Drittens wurde uns von Kindesbeinen an beigebracht, dass Großzügigkeit und Freundlichkeit bewundernswerte

Eigenschaften sind. Einige von uns treiben dies zu weit und verwechseln das Setzen von Prioritäten mit Egoismus und Negativität.

- Schließlich fürchten viele People-Pleaser einfach die Konfrontation. Sie hassen Anspannung und Unbehagen und gehen bis zum Äußersten, um dies zu vermeiden. Sie wollen keine Wellen schlagen und konzentrieren sich ausschließlich darauf, unter dem Radar zu fliegen.

Kapitel 3: Programmieren Sie Ihre Überzeugungen neu

Im vorigen Kapitel wurden die Überzeugungen besprochen, die dem People-Pleasing zugrunde liegen - die Überzeugung, dass man lebt, um anderen zu gefallen und zu dienen, dass man so, wie man ist, der Liebe nicht würdig ist, dass Selbstbehauptung bedeutet, dass man ein schlechter Mensch ist, und dass Konfrontationen um jeden Preis vermieden werden sollten.

Es ist klar, dass People-Pleasing aus solch verzerrten Ansichten über die Welt und über sich selbst entsteht. Anstatt sich als ganzer Mensch zu fühlen, der genug und würdig ist, wie er ist, sind Sie zu der Überzeugung gelangt, dass Sie im Wesentlichen mangelhaft sind. Sie sind dazu übergegangen, die Anerkennung anderer Menschen zu brauchen, um das klaffende Loch zu füllen, das ein gesundes Selbstwertgefühl und Selbstliebe füllen würden. Ihre verzerrten Ansichten und Überzeugungen haben sich somit negativ auf die Art und Weise ausgewirkt, wie Sie sich anderen und sich selbst gegenüber verhalten.

Um sich von dem zwanghaften People-Pleasing zu befreien, müssten Sie also radikal ändern, wie Sie die Welt und vor allem sich selbst sehen. In diesem Kapitel geht es darum, Ihnen die Werkzeuge an die Hand zu geben, um genau das zu tun - Ihr Verhalten zu ändern, indem Sie Ihre Grundüberzeugungen und Perspektiven neu programmieren, insbesondere diejenigen, die sich direkt auf Ihre Tendenz auswirken, anderen zuerst zu dienen und sich selbst an letzte Stelle zu setzen.

Ändern Sie Ihre Überzeugungen: Allgemeine Grundsätze

Ihre Überzeugungen zu ändern ist nicht einfach. Überzeugungen, insbesondere solche, die mit People-Pleasing zusammenhängen, sind oft so eng mit Ihrer persönlichen Geschichte, kritischen Erfahrungen und Ihrem allgemeinen Temperament verwoben, dass sie dazu neigen, damit zu verschmelzen. In gewissem Sinne verhalten Sie sich entsprechend dem, was Sie denken, Sie denken entsprechend dem, was Sie erlebt haben, und Sie werden zu dem, was Sie glauben.

Und weil es so schwer ist, Ihr Sein von Ihrem Glauben zu trennen, könnte eine Aufgabe wie das Auswechseln des gesamten Fußbodens in Ihrem Haus in der Tat viel einfacher sein als das Ändern Ihrer Überzeugungen. Harte Arbeit ist relativ einfach zu erledigen, weil sie von außen kommt, konkreter und kontrollierbarer ist - und somit auch weniger Willenskraft und Disziplin Ihrerseits erfordert. Aber Ihre Überzeugungen zu ändern? Das stellt eine schwierigere Herausforderung dar. Der Versuch, zu ändern, was Sie über die Welt und über sich selbst denken, erfordert, dass Sie sich mit etwas Innerem, Abstraktem und Fließendem auseinandersetzen, ganz zu schweigen davon, dass es ein hohes Maß an Selbstbewusstsein und enorme Mengen an Konzentration und Hingabe erfordert.

Auch wenn das Ändern Ihrer Überzeugungen eine schwierige Aufgabe ist, ist es keineswegs unmöglich. Sie können die besten Praktiken lernen und anwenden, und mit genügend Hingabe und Konsequenz werden Sie in der Lage sein, Ihre Überzeugungen umzuprogrammieren, um ein besseres Selbstbild zu schaffen.

Eine der bekanntesten und bewährtesten Methoden, um Ihre Überzeugungen zu ändern, ist die kognitive Verhaltenstherapie (KVT). Diese Methode geht davon aus, dass Sie Ihr Verhalten ändern können, indem Sie Ihre Denkweise ändern. Grundsätzlich lernen Sie durch die KVT, sich Ihrer

Gedanken bewusster zu werden, Ihre Fähigkeit zu verbessern, zwischen verzerrten und realistischen Gedanken zu unterscheiden, und daran zu arbeiten, Ihre verzerrten Gedanken durch realistische zu ersetzen.

Das BLUE-Modell ist eine spezifische KVT-Strategie, die von PracticeWise entwickelt wurde, um negativen Gedanken entgegenzuwirken. BLUE ist ein Akronym, das für die Art von extrem negativen Gedanken steht, die Sie bei sich selbst erkennen sollten, wenn sie in Ihrem Kopf auftauchen. „B" steht für „blaming myself" (sich selbst die Schuld geben), „L" für „looking for bad news" (auf der Suche nach schlechten Nachrichten), „U" für „unhappy guessing" (unglückliche Vermutung) und „E" für „exaggeratedly negative thoughts" (übertrieben negative Gedanken). Im Folgenden finden Sie eine Erklärung zu jedem dieser Gedanken und wie sie sich insbesondere bei People-Pleasern manifestieren.

Sich selbst die Schuld geben. Es gibt einen Unterschied zwischen der Übernahme von Verantwortung für Ihre Handlungen und dem Schwelgen in übermäßiger Selbstbeschuldigung. In diesem Punkt geht es darum, zu erkennen, wann Sie in die Falle des Letzteren getappt sind. Extreme Selbstvorwürfe beginnen sich in Ihrem Kopf zu vermehren, wenn Sie anfangen zu denken: *„Es ist alles meine Schuld"* oder *„Ich habe alles absolut versaut."* Während es eine reife und lobenswerte Handlung ist, Verantwortung zu übernehmen, ist es einfach kontraproduktiv, sich selbst übermäßig die Schuld für jede schlechte Sache zu geben. Dies wird sogar mit psychischen Gesundheitsproblemen wie Depressionen in Verbindung gebracht.

Im Zusammenhang mit People-Pleasing werden Sie nach einem halbherzigen Versuch, sich zu behaupten, wahrscheinlich Gedanken an übermäßige Selbstvorwürfe haben. Sie lehnen die Bitte Ihrer Schwester, für sie zu babysitten, ab. Sobald sie dann anfängt, darüber zu sprechen, wie viel Mühe es für sie wäre, einen Babysitter zu finden, fühlen Sie sich schuldig. Sie denken, dass es auf jeden Fall Ihre Schuld ist, dass sie diese ganze Mühe auf sich nehmen muss, wenn Sie ablehnen. Also fügen Sie sich, weil Sie sich schuldig fühlen, dass die

Dinge nicht so glatt laufen, wenn Sie es nicht tun.

Auf der Suche nach schlechten Nachrichten. Es ist eine häufige Tendenz, sich auf das Negative zu konzentrieren, anstatt auf das Positive. Wenn Sie gerade neun Komplimente und einen negativen Kommentar zu Ihrer Präsentation bei der Arbeit erhalten haben, ist es wahrscheinlich, dass Sie an dieser einen Kritik hängen bleiben und sich selbst dafür fertig machen. Hüten Sie sich davor, in jeder Situation nach den schlechten Nachrichten suchen, denn solche Gedanken verzerren mit Sicherheit Ihren Blickwinkel zum Schlechten hin.

Beim People-Pleasing können sich solche Gedanken manifestieren, indem man sich ausschließlich auf mögliche negative Auswirkungen konzentriert, wenn man für sich selbst einsteht. Wenn Sie die Einladung eines Freundes zu einer Party ablehnen, konzentriert sich Ihr Verstand auf den Gedanken, dass die Ablehnung dazu führen könnte, dass Ihr Freund schlecht über Sie denkt. Sie vernachlässigen alle positiven Aspekte dieser Absage, wie z.B. Ihre Arbeit zu erledigen und sich auszuruhen, weil sich Ihr Verstand an die einzige negative Konsequenz klammert, Ihren Freund zu verärgern. Und so kommt es, dass Sie dem, was Ihr Freund will, den Vorrang geben, anstatt sich selbst in dieser Situation an die erste Stelle zu setzen.

Unglückliche Vermutung. Dies weist auf den Gedanken hin, dass die Dinge in der Zukunft schlecht ausgehen werden. Obwohl Sie nicht wissen können, was passieren wird, sagen Sie das Schlimmste voraus. Die Angst und Panik, die ein solcher Gedanke dann auslöst, kann Sie so erschüttern, dass Ihre Vorhersage zu einer sich selbst erfüllenden Prophezeiung wird. Wenn Sie eine wichtige Prüfung zu bestehen haben, sich aber immer wieder sagen: *„Das wird eine Katastrophe"* und sich so sehr darüber aufregen, dass Sie nicht mehr klar denken können, dann spielen Sie der Katastrophe direkt in die Hände.

Übertrieben negative Gedanken. Es gibt Gedanken, die alles komplett schwarz färben, und nach denen sollten Sie Ausschau halten. Sie klingen vielleicht wie *„Alles an dieser Reise ist scheiße"* oder *„In* *meinem Leben läuft nie etwas richtig.*" Übertrieben negative Gedanken saugen nehmen alle Hoffnung und bringen nur Bedauern und Angst mit sich, was es Ihnen umso schwerer macht, sich auf produktivere Ziele hinzubewegen.

Wenn Sie ein chronischer People-Pleaser sind, neigen Sie vielleicht dazu, übertrieben negative Gedanken über sich selbst zu haben. Sie denken, dass nichts an Ihnen liebenswert ist, also strengen Sie sich an, anderen zu dienen und zu gefallen, damit Sie sie mögen. Nehmen Sie zum Beispiel Kylie, die in dem Glauben aufgewachsen ist: *„Ich bin zu nichts zu gebrauchen und niemand wird mich jemals so lieben, wie ich bin.*" In Anbetracht dessen tut sie alles dafür, anderen zu gefallen und von ihnen die Liebe und Akzeptanz zu bekommen, die sie selbst nie bekommen hat. Sie denkt, dass die Ablehnung anderer nur beweist, wie nutzlos und liebesunwürdig sie in Wirklichkeit ist. So lebt sie ihr Leben nur mit dem Ziel, allen anderen um sich herum zu gefallen.

Zu erkennen, wenn Ihnen BLUE-Gedanken in den Sinn kommen, ist nur der erste

Schritt, um sie zu ändern. Der nächste Schritt besteht darin, diese BLUE-Gedanken durch wahre Gedanken zu ersetzen. Während BLUE-Gedanken eher negativ und katastrophal sind, sind wahre Gedanken positiver und realistischer. Wahre Gedanken helfen Ihnen, eine verträglichere Perspektive zu haben und leiten Sie zu positiven Handlungen an, anstatt sich nur in Selbstmitleid und Niederlagen zu suhlen.

Sagen wir, Sie haben einen BLUE-Gedanken, der lautet: *„Wenn ich dieses Elternbeiratstreffen ausfallen lasse, damit ich meine Migräne untersuchen lassen kann, bedeutet das, dass ich ein schlechter Elternteil bin."* Zuerst müssen Sie erkennen, dass ein solcher Gedanke übertrieben negativ ist und durch einen realistischeren wahren Gedanken ersetzt werden muss. Um sich einen wahren Gedanken zu überlegen, schlägt Amy Morin vor, sich zu fragen, was Sie zu einem Freund sagen würden, der vor einem solchen Dilemma steht. Würden Sie Ihrem Freund sagen, dass das Verpassen des Treffens bedeuten würde, dass er ein schlechter Elternteil ist? Wahrscheinlich nicht.

Stattdessen würden Sie ihm wahrscheinlich sagen: *„Es ist besser, wenn du zuerst deine Migräne untersuchen lässt, denn du kannst kein gutes Elternteil sein, wenn du am Ende zu krank wirst, um dich um deine Familie zu kümmern. Eine Sitzung zu verpassen, würde nicht bedeuten, dass du ein schlechter Elternteil bist. Außerdem wärst du mit einer Migräne ohnehin nicht in der Lage, bei diesem Treffen vollständig anwesend zu sein."* Denken Sie nun diese Gedanken für sich selbst, so wie Sie es sich für Ihren Freund wünschen würden. Wenn Sie sich darin üben, werden Sie vom selbstzerstörerischen People-Pleasing wegkommen und eine gesündere Beziehung zu sich selbst und zu anderen aufbauen.

Das Ändern von BLUE-Gedanken in wahre Gedanken ist ein zentraler Prozess bei der Umprogrammierung der Glaubenssätze, die dem „People-Pleasing" zugrunde liegen. Wie im vorherigen Kapitel besprochen, gibt es vier primäre Glaubenssätze: (1) die Überzeugung, dass Sie nur leben, um anderen zu gefallen und zu dienen, (2) die Überzeugung, dass Sie der bedingungslosen Liebe nicht würdig sind, (3) die Überzeugung, dass Selbstbehauptung bedeutet, dass Sie ein schlechter Mensch sind, und (4) die Überzeugung, dass es immer besser ist, einfach mit dem Strom zu schwimmen. In diesem Kapitel wird auf die wahren Gedanken eingegangen, die diese verzerrten Überzeugungen ersetzen sollten.

Über den Glauben, dass man anderen gefallen und ihnen dienen muss

BLUE-Gedanken: B-„Ich verdiene es, beschuldigt zu werden, wenn ich andere nicht an die erste Stelle setze", L-„Wenn ich jetzt nicht helfe, werden alle anderen Male, in denen ich geholfen habe, zunichte gemacht", U-„Wenn ich sie abweise, werden sie mich definitiv hassen und es wird unsere Beziehung für immer ruinieren" und E-„Egoistisch zu sein, wird alles ruinieren."
Ein wahrer Gedanke: „Es ist okay und manchmal notwendig, egoistisch zu sein."

Egoistisch zu sein ist immer schlecht. Diese Vorstellung, die uns oft von Kindheit an eingebläut wird, ist einer der Eckpfeiler, die zu lebenslangem People-Pleasing führen. Wenn Ihnen als gehorsames Kind beigebracht wird, dass es gleichbedeutend damit ist, ein schlechter Mensch zu sein, wenn Sie sich selbst an die erste Stelle setzen, entwickeln Sie ein Denkmuster, das Sie zwingt, stattdessen immer andere an die erste Stelle zu setzen.

Etwas so Einfaches wie eine Spielverabredung hat vielleicht schon früh solche Gedanken in Ihnen gepflanzt. Das Tauziehen um Ihr Lieblingsspielzeug mit einem anderen Kind endete vielleicht damit, dass Ihre Mutter Ihnen sagte, Sie sollten es loslassen und lernen zu teilen, weil das gute Kinder eben so machen. Wenn Sie taten, was Ihnen gesagt wurde, wurden Sie anschließend für Ihre Freundlichkeit gelobt. Da Sie solche Belohnungen dafür entdeckt haben, dass Sie andere an die erste Stelle setzen, machen Sie weiter damit, Menschen zu gefallen, um Anerkennung und Liebe zu bekommen.

Als Kehrseite der Medaille kann etwas passieren, wenn Sie gegen diese grundlegende Lektion verstoßen und stattdessen beschließen, sich selbst den Vorrang zu geben. Als Kind haben Sie vielleicht solche Grenzen getestet, als Sie sich weigerten, Ihr Lieblingsspielzeug für jemand anderen aufzugeben. Obwohl Sie darauf bestanden haben, sich selbst zu behaupten, wurden Sie vielleicht durch eine Reihe von Techniken dazu gebracht, es trotzdem aufzugeben: Ihnen wurde gesagt, wie traurig Sie das andere Kind machen, oder Sie wurden als schlechtes Kind abgestempelt, um nur einige zu nennen. Daraus lernen Sie, dass Sie sich zu Recht schuldig fühlen sollten, wenn Sie sich selbst an die erste Stelle setzen. Als Erwachsener merkt man dann, dass etwas nicht stimmt, wenn man sich selbst an die erste Stelle setzt, selbst wenn es um Dinge wie die eigene Gesundheit geht.

Was also als unschuldige Maxime begann – „Sei nicht egoistisch" - wird Ihnen oft zum Verhängnis, wenn es sich zu der selbstzerstörerischen Philosophie entwickelt, dass Sie ein schlechter Mensch sind, wenn Sie sich selbst an die erste Stelle setzen. Schuldgefühle, weil Sie sich selbst an die erste Stelle setzen, werden zusammen mit der Anerkennung, die Sie dafür erhalten, dass Sie andere an die erste Stelle setzen, zum Treibstoff für die People-Pleasing-Gewohnheiten, mit denen Sie so schwer brechen können.

Um sich von Ihren People-Pleasing-Mustern zu befreien, müssen Sie also die Art und Weise, wie Sie darüber denken, egoistisch zu sein, neu gestalten. Egoistisch zu sein bedeutet hier einfach, auf sich selbst zu achten und sich selbst an die erste Stelle zu setzen, *nicht* unbedingt auf Kosten anderer. Es geht darum, dass Sie Ihre eigenen Bedürfnisse und Wünsche wahrnehmen und sich selbst genug wertschätzen, um sie zu honorieren, anstatt sie schnell beiseite zu schieben, um es anderen recht zu machen. Egoistisch zu sein ist nicht immer schlecht. Es ist sogar notwendig, ab und zu egoistisch zu sein, und zwar aus den folgenden Gründen.

Sie können anderen nicht vollständig dienen, wenn Sie nicht zu 100% Sie selbst sind. Es ist in Ordnung, anderen dienen zu wollen und die Beziehungen in Ihrem Leben zu pflegen, indem Sie für Menschen da sind, wenn sie Sie brauchen. Aber bei allem ist Mäßigung der Schlüssel - ja, sogar bei etwas so Edlem wie Hingabe und Zuverlässigkeit. Es gibt einen Punkt, an dem es schädlich wird, andere an die erste Stelle zu setzen - nicht nur für Sie, sondern für alle Beteiligten.

Sehen Sie, viele People-Pleaser erkennen nicht, dass sie durch ihren überhöhten, alltäglichen Energieaufwand für andere ihre Fähigkeit sabotieren, für andere da zu sein, wenn es darauf ankommt.

Wenn Sie ständig erschöpft und entnervt sind, zu wenig Schlaf haben und mit Stress überladen sind, weil Sie sich um alle anderen kümmern müssen, werden Sie früher oder später krank, demotiviert oder einfach gleichgültig gegenüber Arbeit, Freunden und Familie. Wenn Sie sich nicht die Zeit nehmen, ausreichend zu schlafen, zu essen und sich auszuruhen, wird das zwangsläufig einen Tribut von Ihnen fordern und Sie letztendlich Ihrer Fähigkeit berauben, anderen mit echter Sorge und Freude zu dienen. Wenn Sie zu selbstlos sind, sind Sie nicht in der Lage, denen, die Ihnen am Herzen liegen, effektiv zu dienen.

Sandra ist zum Beispiel eine unermüdliche Mutter und eine engagierte Geschäftsfrau. Da sie eine selbstlose Familienfrau und gleichzeitig eine Karrierefrau sein möchte, opfert sie den Schlaf, lässt oft Mahlzeiten ausfallen und verzichtet auf Sport und

Erholung, damit sie mehr Zeit hat, sich um die Bedürfnisse aller in ihrer Familie und an ihrem Arbeitsplatz zu kümmern. Im Laufe der Jahre entwickelt sie aufgrund ihres ungesunden Lebensstils schwere Stressgeschwüre und muss sich wegen einer Operation und notwendiger Bettruhe ins Krankenhaus begeben. In ihrem Eifer, allen anderen um sie herum zu dienen, ist sie schließlich nicht mehr in der Lage, überhaupt etwas für irgendjemanden zu tun.

Das interessante Paradoxon ist, dass man, um wirklich andere an die erste Stelle zu setzen und sich selbst sinnvoll einzubringen, wissen muss, wie man sich selbst an die erste Stelle setzt und auch wie man ein wenig egoistisch ist, wo es zählt. Indem Sie sich Zeit für sich selbst nehmen und sich zuerst um Ihre eigene Gesundheit kümmern, versetzen Sie sich in die Lage, weiterhin für die Menschen um Sie herum da zu sein, wenn sie es am meisten brauchen. Indem Sie also egoistisch sind, holen Sie sich langsam Ihr Selbstbewusstsein zurück und können diese neu gewonnene Energie nutzen, um sie besser zu verwenden. Hoffentlich entscheiden Sie sich für sich selbst, aber selbst wenn Sie sich für andere entscheiden wollen, können Sie nun 100% geben.

Sie sind der Einzige, der für sich selbst verantwortlich ist. Egoistisch zu sein ist notwendig, denn wenn es darauf ankommt, sind Sie der Einzige, der sich wirklich um Sie kümmern kann. Andere können Sie vielleicht daran erinnern, sich gesund zu ernähren oder Ihnen sogar das Essen servieren oder Sie zum Sport drängen oder Sie zum Arzt bringen, wenn es Ihnen nicht gut geht, aber das sind alles äußere Handlungen. Nur Sie selbst können Ihrem Körper die Nährstoffe zuführen, die Selbstdisziplin aufbringen, konsequent Sport zu treiben, und auf die Signale Ihres Körpers hören, die Ihnen sagen, wann Sie einen Arzt aufsuchen müssen. Wenn Sie all das missachten, nur damit Sie es allen anderen recht machen können, dann setzen Sie Ihr Leben aufs Spiel.

Denken Sie daran, dass niemand sonst in der Lage sein wird, diese Dinge für Sie zu tun. Außerdem wird sich niemand so um Sie kümmern, wie Sie selbst, weil sie einfach nicht Sie und somit nicht direkt betroffen sind. Wir würden gerne glauben, dass unsere Eltern oder Geschwister für uns da sind, wenn wir es brauchen, und das tun sie vielleicht auch, aber sie werden trotzdem nicht in der Lage sein, ihre ganze Zeit und Mühe für Sie aufzuwenden. Nur Sie können das für sich selbst tun, also müssen Sie es tun, ohne sich deswegen schuldig zu fühlen. People-Pleasing muss hinter der Selbsterhaltung zurückstehen. Letztendlich ist die Selbsterhaltung unser eigentliches Ziel, aber das kann man im Alltag leicht vergessen.

Egoistisch zu sein ist nicht gleichbedeutend damit, unverantwortlich zu sein oder alle anderen zu vernachlässigen. Nur weil Sie am Wochenende einen halben Tag lang die Hausarbeit beiseitegelegt haben, um sich auszuruhen, heißt das nicht, dass Sie ein fauler Mensch sind. Nur weil Sie die Party Ihrer Freunde verpasst haben, heißt das nicht, dass Sie ihnen für immer den Rücken gekehrt haben. Es ist ein Unterschied, ob Sie sich die Zeit für andere und sich selbst einteilen, oder eine gefühllose, unsensible Person sind.

Erlauben Sie sich, andere zurückzuweisen und hier und da ein paar soziale Verpflichtungen zu verpassen, wenn Sie das brauchen, um Ihre persönlichen Batterien wieder aufzuladen. Die Welt funktioniert nicht in Schwarz und Weiß, und Sie können Egoismus folglich nicht als 100% negativ betrachten. Das ist er bei weitem nicht. Das typische Stigma, das mit dem Begriff „egoistisch" verbunden ist, lässt ihn als eine schädliche Handlung erscheinen, und so sind wir normalerweise darauf konditioniert, ihn zu vermeiden. Es gibt eine falsche Art, egoistisch zu sein: nämlich nur von Egoismus getrieben zu sein und andere zum persönlichen Vorteil auszunutzen. Ein solcher Egoismus ist in der Tat eher destruktiv als hilfreich. Aber das ist eher die Ausnahme von der Regel und überhaupt nicht das, worüber wir hier sprechen.

Wir wollen nur für uns selbst sorgen, uns selbst an die erste Stelle setzen, wenn es angemessen ist, und uns selbst schützen, ohne anderen unbedingt Schaden zuzufügen. Alles, wozu wir hier ermutigen, ist, Ihre Bedürfnisse gelegentlich an erste Stelle zu setzen und sowieso immer den

Wünschen anderer vorzuziehen. Diese Art von Egoismus ist es, die Sie vor den destruktiven Mustern des People-Pleasing bewahren wird, die Sie vorher hingenommen haben. Zusätzlich zu den oben genannten Punkten, wie Sie Ihre Gedanken über Egoismus neu ordnen können, gibt es zwei Hauptwege, um proaktiv egoistisch zu sein (auf die gute Art).

Setzen Sie Prioritäten für Ihren Körper. Ein People-Pleaser zu sein, fordert seinen Tribut an Ihrer körperlichen Gesundheit. Wenn Sie mehrere Verantwortlichkeiten zu Hause und bei der Arbeit jonglieren und versuchen, allen Anforderungen gerecht zu werden, kommen Sie zwangsläufig zu wenig Schlaf, haben nicht genug Zeit oder Energie für Sport und greifen auf schnell servierte, aber fettige und definitiv ungesunde Lebensmittel zurück. Wenn Sie dieses Muster beibehalten, werden Sie garantiert anfälliger für Krankheiten, von der gewöhnlichen Erkältung bis hin zu schweren Herzkrankheiten. Auf diese Weise kann es Sie buchstäblich umbringen, ein unerbittlicher People-Pleaser zu sein.

Bevor Sie also einen irreversiblen Schaden an Ihrem Körper anrichten, sind Sie es sich selbst schuldig, Ihre eigene Gesundheit an erste Stelle zu setzen. Machen Sie das sogar zu einem Teil Ihres neuen Filters, wenn Sie zu der Frage kommen, ob Sie sich selbst oder anderen den Vorrang geben sollen. Wird dies Ihrem Körper in irgendeiner Weise schaden oder abträglich sein? Wird es dazu führen, dass Sie ihn vernachlässigen und insgesamt weniger gesund werden? Wenn ja, sollte das ein harter Schlag für Sie sein. Es ist ein nützlicher Maßstab, der Sie definitiv davon abhalten wird, sich für andere Menschen zu verbiegen, wenn dies zum Beispiel Ihre Routine im Fitnessstudio oder Ihren Schlafplan beeinträchtigen würde.

Lernen Sie, Bitten abzuschlagen, damit Sie genug Zeit dafür haben, gesunde Mahlzeiten zuzubereiten und zu verzehren, genug Schlaf und Ruhe zu bekommen und sich regelmäßig zu bewegen. Planen Sie in Ihrem Tagesablauf Zeit für diese wichtigen Selbstfürsorge-Aktivitäten ein und schützen Sie diese Zeitblöcke davor, durch fremde soziale Anforderungen beeinträchtigt zu werden. Diese Zeitblöcke gehören Ihnen und niemandem sonst. Gewöhnen Sie sich daran, anderen zu sagen, dass Sie eine Aufgabe nicht übernehmen oder nicht zu diesem Treffen gehen können, weil Sie ins Fitnessstudio müssen oder Lebensmittel einkaufen oder sich einfach ausruhen. Es ist notwendig, auf diese Weise egoistisch zu sein, denn wenn Ihre körperliche Gesundheit auf dem Spiel steht, steht alles andere auf dem Spiel.

Setzen Sie Prioritäten für Ihren Geist. Da das moderne Leben an fast jeder Ecke seine eigenen Belastungen mit sich bringt, hat sich die Bedeutung der Selbstfürsorge dahingehend entwickelt, dass nicht nur die körperliche, sondern auch die geistige Gesundheit im Vordergrund steht. Dies ist Ihr anderer Filter bei der Beurteilung, ob Sie etwas tun sollten oder nicht - versetzt es Ihr geistiges Wohlbefinden in einen Zustand der Unzufriedenheit, Anspannung oder des Unbehagens?

Angenommen, Ihr Freund schmeißt am Wochenende eine große Party und möchte, dass Sie kommen. Wie Sie Ihren Freund kennen, wissen Sie, dass dessen Party sicher der, laut und überfüllt sein wird -

nichts von dem, was Sie mögen. Da Sie wissen, dass Sie sich dort wahrscheinlich sowieso nicht amüsieren werden, ist es das Beste für Ihre eigene geistige Gesundheit, die Einladung höflich aber bestimmt abzulehnen. Sie müssen erkennen, dass das Ablehnen der Einladung nicht dasselbe ist wie das Ablehnen Ihres Freundes und dass es völlig in Ordnung ist, Ihrem eigenen Seelenfrieden den Vorrang zu geben, indem Sie sich einfach ein erholsames Wochenende gönnen.

Vor allem People-Pleaser sind anfällig dafür, sich in einem ständigen Zustand psychischer Qualen zu befinden. Sie werden oft von Unsicherheiten, Gefühlen der Wertlosigkeit, übermäßiger Angst und Schuldgefühlen bei Zurückweisung anderer, unrealistischen Erwartungen an sich selbst und verzerrten Vorstellungen darüber, was es bedeutet, ein guter Mensch zu sein, geplagt. Hinzu kommen Schuldgefühle bei der Vorstellung, für sich selbst zu sorgen, sei es körperlich oder geistig. Abgesehen von dem letzten Teil über Schuldgefühle, wenn der Dienst an jemand anderem diese negativen Emotionen in Ihnen hervorruft, sollten Sie es sein lassen.

Lernen Sie, Ihr eigener bester Freund zu sein und Ihre eigenen Bedürfnisse und Wünsche zu respektieren. Trainieren Sie Ihren Verstand, selbstzerstörerische und schädliche Gedanken aufzuspüren, die Ihnen sagen, dass Sie der Liebe und Akzeptanz nicht würdig sind, wenn Sie nicht genau das tun, was andere wollen. Vermeiden Sie dann diese Handlungen, Menschen und Impulse. Die Menschen, die Sie wirklich lieben und akzeptieren, werden dies bedingungslos tun. Sie werden Sie nicht zurückweisen oder Ihnen ihre Zuneigung entziehen, nur weil Sie ihre Bitte abgelehnt oder sich durchgesetzt haben.

Am wichtigsten ist, dass Sie aufhören, sich zu schämen und schuldig zu fühlen, wenn Sie sich selbst an die erste Stelle setzen. Egoistisch genug zu sein, um sich sowohl um Ihren Geist als auch um Ihren Körper zu kümmern, ist eine wichtige Lebenskompetenz, die Sie beherrschen sollten. Dagegen ist People-Pleasing eine giftige und schädliche Angewohnheit. Welche der beiden Angewohnheiten Sie in sich selbst pflegen, bleibt Ihnen überlassen.

Über den Glauben, dass Sie der Liebe und Akzeptanz nicht würdig sind

BLUE-Gedanken: B-„Ich bin nie genug und es ist meine Schuld, dass mich niemand mag", L-„Es spielt keine Rolle, dass ich einige positive Eigenschaften habe. Meine Launenhaftigkeit reicht aus, um Menschen zu vertreiben", U-„Niemand wird mich jemals lieben und akzeptieren, wenn ich nicht das tue, was er will" und E-„Ich bin die schlimmste Person, mit der man zusammen sein kann."
Ein wahrer Gedanke: „Ich bin es wert, geliebt und akzeptiert zu werden, so wie ich bin."

Sich unsicher und der Liebe unwürdig zu fühlen, ist eine weitere treibende Kraft hinter People-Pleasing-Verhaltensweisen. Wenn Sie sich von Natur aus unzulänglich fühlen, versuchen Sie, diese Lücke durch Anerkennung anderer zu füllen. Sie stellen andere immer an die erste Stelle, weil Sie glauben, dass dies der einzige Weg ist, um Wert, Achtung und Liebe von den Menschen um Sie herum zu erhalten. Sie glauben, dass

Sie nur so lange etwas wert sind, wie Sie anderen von Nutzen sind, und dass Sie als Person an Wert verlieren, wenn Sie aufhören, anderen alles recht zu machen.

Wie programmiert man also solche verzerrten Glaubenssätze um? Der Schlüssel ist, sich selbst in einem neuen Licht zu sehen. Sie müssen in der Lage sein, Ihren inneren Wert als Person zu erkennen, Ihre Stärken zu erkennen und zu wissen, dass Sie nicht perfekt sein müssen, um würdig zu sein. Auf diese Weise werden Sie in der Lage sein, sich selbst zu akzeptieren und zu lieben, anstatt sich darauf zu verlassen, dass andere das für Sie tun. Indem Sie mehr Selbstvertrauen aufbauen und sich auf Ihre eigenen Prioritäten konzentrieren, machen Sie sich unabhängig von der Anerkennung anderer und hören auf, sich nach ihnen zu richten, um sich geliebt und wertvoll zu fühlen.

Der Weg, sich selbst so zu akzeptieren, wie man ist, ist eine besondere Herausforderung. Die Verwendung der folgenden Prinzipien zur Selbstakzeptanz von Paul Dalton wird Ihnen dabei helfen.

Sie leben das Gefühl Ihres Denkens. Wie Sie die Welt erleben und auch wie Sie zu sich selbst stehen, hängt davon ab, was Sie denken. Wenn Sie denken, dass die Welt Sie nur akzeptiert, wenn Sie andere an die erste Stelle setzen, dann werden Sie nichts als Beweise dafür sehen. Wenn Sie denken, dass Sie nur dann glücklich sind, wenn andere Sie anerkennen, dann werden Sie das Bedürfnis haben, die Anerkennung anderer zu suchen und sich unglücklich fühlen, wenn diese Sie missbilligen.

Nehmen Sie zum Beispiel Sarah, die denkt, dass der einzige Weg, glücklich zu sein, darin besteht, die Anerkennung aller zu bekommen. Jedes Mal, wenn sie andere an die erste Stelle setzt, erhält sie so viel Wertschätzung und Liebe von ihnen und das macht sie so glücklich. Wenn sie es nicht schafft, anderen zu gefallen und stattdessen Missbilligung erhält, fühlt sie sich unglücklich. Was Sarah jedoch unglücklich macht, ist nicht die Tatsache, dass einige Leute sie missbilligen - vielmehr ist es ihr Glaube, dass sie niemals glücklich sein kann, wenn nicht jeder sie gutheißt. Ihr Irrglaube, dass das Glück von außen kommt, ist das, was sie wirklich unglücklich macht.

Aber während es einfacher ist, den Fehler in Sarahs Denken zu erkennen, wenn er auf diese Weise präsentiert wird, ist es schwieriger, solche verzerrten Überzeugungen bei sich selbst zu bemerken. Eine Möglichkeit, sich selbst zu helfen, solche Verzerrungen zu erkennen, besteht darin, sich selbst einige harte Fragen über Ihre Überzeugungen und Gedanken über Beziehungen, Glück und sich selbst zu stellen. Fragen Sie sich: *„Was sind die Dinge, die ich tue, um glücklich zu sein?"* oder *„Was sind die Kernüberzeugungen, die ich über meinen Wert als Person habe?"* Sehen Sie es als eine Übung der Selbsterkenntnis und schreiben Sie Ihre Antworten in einem Tagebuch auf, damit Sie Ihre Gedanken besser ordnen können.

Alles Gute liegt im Inneren. In diesem modernen Zeitalter, in dem es durch die sozialen Medien so viel einfacher geworden ist, mit Statussymbolen zu protzen und sein Leben mit anderen zu vergleichen, ist es sehr einfach zu glauben, dass alles, was

105

wertvoll ist, außerhalb von einem liegt - Auszeichnungen und Anerkennung, finanzieller Erfolg, materieller Besitz. Dieser Gedankengang nährt das, was Dalton das „gelernte Selbst" nennt, es ist eine Version von Ihnen, die sich auf alles außerhalb von Ihnen stützt, um sich würdig und akzeptabel zu fühlen.

Was das gelernte Selbst jedoch tatsächlich tut, ist, Sie von dem zu trennen, was Sie wirklich sind, und von dieser anderen Version von Ihnen, die man das „unkonditionierte Selbst" nennt. Das unkonditionierte Selbst ist das authentische Du, der unschuldige Kern, der von all der Kritik und dem Trauma, das Sie vielleicht erlebt haben, unberührt ist. Dieses Selbst ist dasjenige, das weiß, dass es genug und wertvoll ist, auch ohne all die Fallen der äußeren Anerkennung und des materiellen Erfolgs. Es ist sich bewusst, dass alles Gute im Inneren ist und dass wahres Glück nur in einem selbst gefunden werden kann. Es ist dieses unkonditionierte Selbst, das Sie wiederbeleben müssen, damit Sie aufhören, die Anerkennung anderer zu suchen, um sich würdig zu fühlen.

Eine Möglichkeit, Ihr unkonditioniertes Selbst wiederzubeleben, besteht darin, eine Pause einzulegen, den Stecker zu ziehen und etwas Zeit für sich allein zu haben. Gehen Sie an einen friedlichen und entspannenden Ort, an dem Sie frei sind, um sich wieder mit den tieferen Teilen dessen zu verbinden, was Sie sind. Nehmen Sie sich diese Zeit, um wieder zu entdecken, wer Sie waren, bevor Sie sich von der Gesellschaft unter Druck setzen ließen, zu jemandem zu werden, der Sie nicht sind, nur um der Welt zu gefallen.

Ihre Beziehung zu sich selbst bestimmt Ihre Beziehung zu allem anderen. Ihre Beziehung zu sich selbst wirkt sich auf alles andere in Ihrem Leben aus. Wenn Sie eine negative Beziehung zu sich selbst haben - Sie beschuldigen und tadeln sich und sehen ständig das Schlechteste in sich selbst -, dann werden Sie verzweifelt bei anderen die Akzeptanz und Liebe suchen, nach der Sie sich sehnen, die Sie sich selbst aber nicht geben können. Die Gefahr dabei ist, dass Sie anfällig für missbräuchliche und giftige Beziehungen zu Menschen werden, die Ihr verzweifeltes Bedürfnis nach Anerkennung ausnutzen.

Wenn Sie z. B. so wenig von sich selbst halten und glauben, dass Sie der Liebe nicht würdig sind, sind Sie vielleicht eher bereit, auch Misshandlungen durch einen Partner zu tolerieren. Sie haben vielleicht das Gefühl, dass Sie den verbalen oder emotionalen Missbrauch, den Sie erdulden, verdienen, weil Sie sich selbst so viele Jahre lang auf dieselbe harte Art und Weise behandelt haben. Sie werden einfach damit fortfahren wollen, sogar diejenigen zu erfreuen, die Sie bereits ausnutzen, weil Sie daraus ein Gefühl von Wert und Liebe ableiten.

Um sich aus diesem destruktiven Muster zu befreien, sollten Sie beginnen, sich selbst mit mehr Mitgefühl und Freundlichkeit zu behandeln. Versuchen Sie, sich selbst ein guter Freund zu sein. Anstatt sich für jeden Fehler oder jede Missbilligung von anderen die Schuld zu geben, seien Sie sanft zu sich selbst. Erinnern Sie sich daran, dass es Ihnen erlaubt ist, Fehler zu machen, dass Sie nicht für das Glück anderer verantwortlich sind und, was am wichtigsten ist, dass Sie sich selbst an die erste Stelle setzen dürfen. Wenn Sie lernen, sich selbst zu vergeben und zu lieben, werden Sie auch weniger das Bedürfnis verspüren, Anerkennung und Liebe von anderen zu suchen. Sie werden erkennen, dass es sich zwar für einen Moment gut anfühlt, anderen zu gefallen, aber sich selbst zu lieben, fühlt sich auf Dauer noch besser an.

Eine weitere Übung für die Steigerung Ihres Selbstwertgefühles ist, zwei Listen zu erstellen, eine mit Ihren Stärken und eine mit Ihren Leistungen. In Ihre Liste der Stärken könnten Sie zum Beispiel Attribute wie „kreativ", „fokussiert", „guter Kommunikator", „belastbar" und „ehrlich" aufnehmen. In Ihrer Liste der Errungenschaften könnten Sie Dinge aufzählen wie „bestes Projekt ausgezeichnet", „ein Team erfolgreich geführt, um die Jahresziele zu erreichen" und „eine Kunstausstellung für wohltätige Zwecke organisiert". Mit solchen Listen machen Sie sich klar, welche Talente, Fähigkeiten und positiven Eigenschaften Sie haben, die Sie aber oft übersehen, weil Sie mit Ihren Unsicherheiten kämpfen.

Wenn es Ihnen schwerfällt, Dinge auf diese Listen zu schreiben, versuchen Sie, die Hilfe eines unterstützenden Freundes oder Verwandten in Anspruch zu nehmen. Es ist verständlicherweise schwierig, Ihre positiven Qualitäten zu identifizieren, wenn Sie sich nie würdig fühlen, also würde ein weiteres Paar Augen, das Ihre Qualitäten objektiver wahrnimmt, wirklich helfen. Bewahren Sie diese Listen griffbereit auf und lesen Sie sie jeden Morgen durch, um sich daran zu erinnern, was Sie zu bieten haben, unabhängig davon, ob die Leute Sie anerkennen oder nicht.

Schließlich sollten Sie sich überlegen, wie Ihre eigenen Erwartungen Ihre Unsicherheiten und Gefühle der Wertlosigkeit beeinflussen könnten. Wenn Sie von sich selbst erwarten, die perfekten Eltern, Kinder, Geschwister, Freunde, Nachbarn und Kollegen zu sein, die nie jemanden verärgern oder eine dieser Beziehungen vermasseln, dann programmieren Sie Ihr Versagen schon vor. Sie werden zwangsläufig das Gefühl haben, nie genug zu sein, denn realistisch betrachtet kann keine einzelne Person alles für alle sein.

Wenn Sie aufhören wollen, sich unwürdig und unzulänglich zu fühlen, müssen Sie die Standards, die Sie für sich selbst gesetzt haben, neu ausrichten, um sie realistischer zu machen. Machen Sie eine Liste der Rollen, die Sie im Leben spielen (z. B. Vater, Freund, Kollege) und schreiben Sie die entsprechenden Erwartungen auf, die Sie für jede Rolle haben. Ersetzen Sie perfektionistische durch realistischere Erwartungen an das, was Sie für andere tun können und sollten, während Sie jede Rolle erfüllen. Auf diese Weise werden Sie ein Gefühl der Befriedigung verspüren, wenn Sie diese Erwartungen erfüllen, anstatt sich zu überfordern und zu versuchen, die unmöglichen Standards zu erreichen, es allen recht zu machen.

Über den Glauben, dass Selbstbehauptung schlecht ist

BLUE-Gedanken: B-„Ich habe alles kaputt gemacht, indem ich für mich selbst eingetreten bin", L-„Durchsetzungsfähig zu sein ist nicht gut; es bringt nur unerwünschte Spannungen in die Gruppe", U-„Wenn ich mich behaupte, werde ich

111

meine Beziehungen zu anderen ruinieren"
und E-„Mich zu behaupten macht mich zu
einem schlechten Menschen."
Ein wahrer Gedanke: „Ich kann mich
behaupten und gleichzeitig ein netter/guter
Mensch sein."

People-Pleasing kann auch aus der
Überzeugung entstehen, dass man, wenn
man sich behauptet, automatisch ein
schlechter Mensch ist, der anderen seine
Bedürfnisse und Wünsche aggressiv
aufdrängt. Um nicht als schlechter,
aggressiver Mensch angesehen zu werden,
geben Sie also dem nach, was andere
wollen, und behaupten sich nie. Sie glauben,
dass Selbstbehauptung bedeutet, dass Sie
anderen Ihre eigenen Bedürfnisse und
Wünsche aggressiv aufzwingen müssen,
und so ein Mensch wollen Sie nicht sein.

Das Problem bei dieser Denkweise ist, dass
der Glaube, die einzige Alternative zu einem
Fußabtreter zu sein, ist, ein aggressiver
Idiot zu sein, falsch ist. Sie müssen diese
Überzeugung neu programmieren, indem
Sie überprüfen, was es wirklich bedeutet,
sich zu behaupten. Bei Selbstbehauptung
geht es darum, seine Meinung zu sagen und

für sich selbst einzustehen, wenn die Situation es erfordert. Es geht darum, selbstbewusst und zuversichtlich zu sein, ohne aggressiv oder arrogant zu sein. Sich zu behaupten, macht Sie nicht zu einem schlechten Menschen; tatsächlich ist Selbstbehauptung gut. Es ist eine Eigenschaft, die Sie brauchen, um produktive und befriedigende Beziehungen mit anderen zu pflegen.

Es ist wichtig zu erkennen, dass Selbstbehauptung nicht mit Aggressivität gleichzusetzen ist. Während Aggressivität eine Situation durch den Einsatz von unnötiger Gewalt verschlimmern kann, kann Selbstbehauptung Klarheit und eine Lösung für eine schwierige Situation bringen. Wenn Sie z. B. das Gefühl haben, dass Sie von Ihrem Vorgesetzten eine unfaire Leistungsbewertung erhalten haben, ist es Aggressivität, wenn Sie starke Anschuldigungen über Günstlingswirtschaft erheben. Die bestimmte Art, mit einer solchen Situation umzugehen, besteht darin, taktvoll Ihre Besorgnis auszudrücken und Ihren Vorgesetzten zu bitten, mit Ihnen die Grundlagen der Bewertung, die Sie erhalten haben, zu überprüfen. Richtig

113

gemacht, führt Selbstbehauptung nicht zum Ruin Ihrer Beziehungen, sondern zu deren Verbesserung.

Verständlicherweise ist Selbstbehauptung vor allem für People-Pleaser nicht leicht zu trainieren. Wenn Sie ein People-Pleaser sind, sind Sie wahrscheinlich von Natur aus fürsorglich und mitfühlend gegenüber anderen. Dies sind Eigenschaften, von denen Sie vielleicht glauben, dass sie mit Selbstbehauptung unvereinbar sind. Sich zu behaupten, muss jedoch nicht bedeuten, dass Sie aufhören, fürsorglich und freundlich zu sein. Durch das, was Sherrie M. Vavrichek mitfühlende Selbstbehauptung nennt, können Sie sich auf eine freundliche und fürsorgliche Weise durchsetzen. Hier sind einige Richtlinien, die Sherrie vorschlägt, wie man mitfühlende Selbstbehauptung trainieren kann.

Lassen Sie sich von der goldenen Regel leiten. „Was du nicht willst, dass man dir tu', das füg' auch keinem andern zu" - so lautet die Maxime. Wenn es darum geht, Mitgefühl zu haben und sich gleichzeitig zu behaupten, sollte diese Regel Ihr Leitfaden sein. Wenn Sie jemanden bitten, Ihnen einen Gefallen zu tun, und er will es eigentlich nicht tun, würden Sie nicht bevorzugen, dass er es Ihnen ehrlich sagt, anstatt Ihnen diesen Gefallen zu tun und gleichzeitig einen Groll gegen Sie zu hegen? Sie würden es wahrscheinlich bevorzugen, dass er Ihnen direkt absagt, dies aber auf eine sanfte und taktvolle Weise tut.

Das Gleiche gilt, wenn die Situation umgekehrt ist. Falls es Ihnen zu viel Mühe machen würde, jemandem einen Gefallen zu tun, würde dieser Jemand es wahrscheinlich mehr zu schätzen wissen, wenn Sie sanft, aber deutlich Ihre Ablehnung zum Ausdruck bringen. Er würde nicht wollen, dass Sie ihm diesen Gefallen tun, und sich dann zähneknirschend im Stillen über ihn ärgern. Sie denken vielleicht, dass Sie Ihre Beziehung schützen, indem Sie versuchen, es dem anderen trotz allem recht zu machen, aber indem Sie sich weigern, sich zu behaupten, belasten Sie in Wirklichkeit die Beziehung, indem Sie es zulassen, dass sich Groll und Missgunst entwickeln. Das Beste, was Sie für sich selbst, die andere

Person und die Beziehung tun können, ist daher, sich zu behaupten.

Streben Sie eine Win-Win-Lösung an. People-Pleaser werden oft von einem Konflikt zwischen den Bedürfnissen und Wünschen der anderen und denen der eigenen Person gequält. Wenn Sie darauf abzielen, anderen zu gefallen, neigen Sie dazu, Ihre eigenen Bedürfnisse zu vernachlässigen und stattdessen die Bedürfnisse anderer in den Vordergrund zu stellen, was schließlich zu einem selbstzerstörerischen Muster wird. Um dem entgegenzuwirken, lernen Sie, sich zu behaupten mit dem Ziel, eine Lösung zu finden, die die Bedürfnisse sowohl von Ihnen als auch der anderen Partei respektiert. Erkennen Sie die berechtigten Anliegen der anderen Person an, ohne Ihre eigenen Bedürfnisse außer Acht zu lassen. Besser noch: Bieten Sie Vorschläge an, die der anderen Person weiterhelfen würden.

Wenn Sie zum Beispiel von einem Kollegen gefragt werden, ob Sie für ihn eine Schicht übernehmen würden, Sie aber bereits andere Pläne haben, antworten Sie mit *„Ich verstehe, dass Sie wirklich jemanden*

116

brauchen, der Ihre Schicht übernimmt, aber ich fürchte, dass ich aufgrund einer früheren Verpflichtung nicht verfügbar wäre. Soll ich mal bei Sam nachfragen, ob er Lust hat?" Eine solche Antwort ist selbstbewusst und dennoch hilfreich und unterstützend für einen Freund in Not.

Wie die obigen Strategien also gezeigt haben, können Sie sich behaupten und gleichzeitig ein netter, mitfühlender, guter Mensch sein. Sie müssen nicht die ganze Zeit den Mund halten und nur das tun, was anderen gefällt, um als guter Mensch zu gelten. Lernen Sie, anders darüber zu denken, was Selbstbehauptung bedeutet und wie Sie sie im täglichen Leben praktizieren können, und Sie werden bald beginnen, People-Pleasing durch selbstbewusstes Handeln zu ersetzen, das Ihnen hilft, sich selbst an die erste Stelle zu setzen, wenn es nötig ist.

Über den Glauben, dass es immer besser ist, einfach mit dem Strom zu schwimmen

BLUE-Gedanken: B-„Ich bin schuld, wenn ich keinen Weg finde, mit dem, was andere wollen, einverstanden zu sein", L-„Die negativen Konsequenzen, wenn ich aufmucke, sind zu schwerwiegend, um es überhaupt zu riskieren", U-„Wenn ich mich weigere oder anderen widerspreche, löst das nur Konflikte aus, mit denen ich nicht umgehen kann" und E-„Ich habe keine andere Wahl, als es anderen recht zu machen, weil ich meine Angst vor Konfrontation nie überwinden werde."

Wahrer Gedanke: „Ich kann lernen, mit Konflikten umzugehen und andere auf angemessene Weise zu konfrontieren."

Eines der Kennzeichen des People-Pleasings ist die Unfähigkeit, Nein zu anderen zu sagen, Ihre Meinung und Gefühle zu äußern und durchzusetzen, was Sie wollen. Wenn Sie es allen um sich herum recht machen wollen, neigen Sie dazu, sich einfach dem anzuschließen, was andere bevorzugen, und nie für sich selbst einzustehen. Selbst wenn Sie nicht daran interessiert sind, anderen zu gefallen, werden Sie vielleicht indirekt durch eine lähmende Angst vor Konfrontationen dazu gedrängt.

Sie haben Angst, jemandem auf die Nerven zu gehen, also schweigen Sie, anstatt etwas zu sagen. Sie wollen nicht aufmucken, also erfüllen Sie alle Anforderungen und Wünsche, die andere an Sie stellen. Ängste vor Konflikten und Konfrontationen sind starke Motivatoren für People-Pleasing. Wenn Sie also aufhören wollen, der typische Fußabtreter zu sein, müssen Sie lernen, diese Ängste zu überwinden.

Eine Möglichkeit, Ihre Ängste vor Konflikten und Konfrontationen zu überwinden, ist eine Technik, die als Expositionstherapie bekannt ist, und die Verwendung einer so genannten Angsthierarchie.

Was ist Expositionstherapie? Bei der Expositionstherapie versetzen Sie sich absichtlich in Situationen, die Ihnen Angst und Sorge bereiten. Sie müssen sich schrittweise in die gefürchteten Situationen hineinversetzen, beginnend mit den Situationen, die am wenigsten Angst auslösen, und später zu den Situationen übergehen, die die stärksten Angstgefühle auslösen. Mit dieser Technik können Sie üben, diesen unangenehmen Gefühlen von

Angst und Furcht standzuhalten, bis sie Sie nicht mehr so sehr stören und Sie an einen Punkt gelangen, an dem Sie sie schließlich überwinden.

Die Expositionstherapie ist nützlich, um Menschen bei der Bewältigung einer Vielzahl von Ängsten und Phobien zu helfen. Zum Beispiel wird sie traditionell eingesetzt, um Menschen zu helfen, Phobien vor bestimmten Tieren (z.B. Schlangen, Hunden, Spinnen) oder Situationen (z.B. Höhen, Fahrstühle, überfüllte Plätze) zu überwinden. Um vor allem People-Pleasern zu helfen, konzentriert sich die Expositionstherapie darauf, die Angst vor Konfrontation zu löschen, die sie daran hindert, andere zurückzuweisen und sich zu behaupten. Obwohl sie typischerweise von Therapeuten durchgeführt wird, können Sie die Prinzipien der Expositionstherapie auch für sich selbst anwenden, um Ihre Angst vor Konfrontation zu überwinden und folglich Ihre „People-Pleasing"-Tendenzen zu vermindern.

Um die Expositionstherapie zu praktizieren, müssen Sie sich in Konflikt- und Konfrontationssituationen begeben. Und da es oft schwierig ist, an solche Situationen zu kommen, wenn man es dem Zufall überlässt, müssen Sie diese Konflikte selbst erzeugen. Aber bevor Sie auf die Idee kommen, dass diese Technik Sie dazu bringt, mit der ersten Person, die Sie auf der Straße sehen, eine Schlägerei anzufangen, sollten Sie bedenken, dass Expositionstraining sorgfältig ausgewählte, sinnvolle Aufgaben beinhaltet, die schrittweise und progressiv durchgeführt werden. Für Menschen, die eine Todesangst vor Konflikten haben, ist alles, was mit Selbstbehauptung zu tun hat, hilfreich. Das bedeutet, dass Sie sich in einer Angsthierarchie hocharbeiten, von leichten Konfliktsituationen, die am wenigsten Angst in Ihnen auslösen, bis hin zu anspruchsvolleren Konfrontationen, die Ihnen die meiste Angst machen.

Erstellen Sie Ihre Angsthierarchie. Die Angsthierarchie ist eine geordnete Liste von Situationen, die Ihre Ängste und Befürchtungen auslösen. Diese Liste konstruieren Sie aus Auslösern und Szenarien, die Ihrer eigenen Erfahrung entsprechen und die Sie so anordnen, wie Sie es für richtig halten.

Ihre Liste kann mit der am wenigsten angstauslösenden Aufgabe beginnen, sei es zum Beispiel sich länger als üblich Zeit zu nehmen, um etwas zu tun, wie z. B. sich beim Bezahlen und Zählen des Wechselgeldes an der Kasse Zeit zu lassen, bevor Sie für den nächsten Kunden zur Seite gehen. Obwohl es sich nicht um eine direkte Konfrontation handelt, entsteht dadurch eine leichte Konfliktsituation zwischen Ihnen und dem nächsten Kunden oder der Kassiererin. Es ist zwar unwahrscheinlich, dass es zu einer längeren verbalen Auseinandersetzung kommt, aber die Situation fordert Sie heraus, mit der steigenden Spannung umzugehen, die Sie empfinden, wenn Sie sich mehr Zeit lassen, als vernünftig ist, um etwas zu tun.

Schließlich können Sie sich dazu hocharbeiten, sich in einer Konfliktsituation tatsächlich zu behaupten, indem Sie z. B. einen Tyrannen konfrontieren. Dies wird zwangsläufig eine tatsächliche verbale Konfrontation zwischen Ihnen und einer anderen Person beinhalten, die wahrscheinlich nicht die entgegenkommendste Person ist. Dies wird ein sehr hohes Maß an Spannung und Konflikten erzeugen, das Sie aushalten müssen, und ist etwas, das Sie gegen Ende Ihrer Exposition versuchen sollten.

Beachten Sie, dass die Angsthierarchie eine abgestufte Liste sein soll, die mit den einfachsten Aufgaben beginnt und sich zu den schwierigsten hocharbeitet. Es wäre nicht ratsam oder effektiv, am ersten Tag damit anzufangen, sich beim Bezahlen am Schalter viel Zeit zu lassen und am nächsten Tag einen Tyrannen zu konfrontieren. Sie müssen sich durch eine Reihe von Schritten mit steigendem Schwierigkeitsgrad arbeiten, so dass Sie allmählich Ihre Toleranz gegenüber dem Unbehagen, das aus Konfliktsituationen entsteht, erhöhen. Im Folgenden finden Sie eine beispielhafte Angsthierarchie mit spezifischen Konfrontationsszenarien, die Sie in fortschreitender Reihenfolge durcharbeiten können, vom am wenigsten bis zum am stärksten angstauslösenden Szenario. Wenn Sie sich mit der Spannung in jedem dieser Szenarien wohlfühlen und das Gefühl verinnerlicht haben, dass Sie diese Dinge tun können, ohne dass es negative Auswirkungen auf Sie selbst oder die Welt hat, können Sie zum nächsten Schritt übergehen. Denken Sie daran, dass dies nur ein Beispiel ist.

1. Nehmen Sie sich viel Zeit, um sich an den Pin für Ihre Kreditkarte zu erinnern, wenn Sie am Schalter bezahlen.
2. Lassen Sie einen Verkäufer zwei ähnliche Produktmodelle für Sie unterscheiden und überlegen Sie lange, welches Sie kaufen sollen.
3. Lehnen Sie das Angebot eines Verkäufers ab, ein Produkt auszuprobieren oder eine Dienstleistung zu erweitern.
4. Sagen Sie nein, wenn ein Kollege Sie bittet, seine Schicht zu übernehmen.
5. Lassen Sie das Essen in einem Restaurant zurückgehen.
6. Informieren Sie auf einer Party den Gastgeber, dass ein Snack zu salzig war.
7. Lassen Sie in einem Restaurant mehrmals absichtlich Besteck fallen und verlangen Sie jedes Mal Ersatz.
8. Lassen Sie einen Freund wissen, dass er eine Sache zurückgeben soll, die er ausgeliehen hat. Geben Sie ein

bestimmtes Datum an, an dem Sie es zurückhaben möchten.

9. Kommen Sie absichtlich zu spät zu einer Besprechung.

10. Sprechen Sie es an, wenn Sie mit der Idee oder dem Plan eines Mitarbeiters nicht einverstanden sind.

11. Verhandeln Sie mit einem Kundenbetreuer, die Verzugsgebühren erlassen zu bekommen, die Ihnen aufgrund eines Systemfehlers berechnet wurden.

12. Bitten Sie Ihre lärmenden Wohnungsnachbarn, ihren Lärm zu reduzieren.

13. Diskutieren Sie die Ergebnisse einer Leistungsbeurteilung, die Ihr Vorgesetzter über Sie durchgeführt hat.

14. Sprechen Sie mit einem Freund über seine Fehlersuchmuster und bitten Sie ihn, nicht ständig negativ zu sein.

15. Sagen Sie Ihrem Chef, dass er aufhören soll, Sie vor den Leuten bei der Arbeit zu demütigen.

Denken Sie daran, Ihre Angsthierarchie auf Ihre persönlichen Ängste und Befürchtungen zuzuschneiden, die entweder in der Art, in der Reihenfolge oder in beidem von den oben genannten abweichen können. Erstellen Sie Ihre Liste speziell für die Konfrontationsszenarien, die für Sie die größte Bedeutung haben. Oder wenn Sie finden, dass die obige Liste die Konfliktsituationen widerspiegelt, die Sie ausprobieren möchten, können Sie sie entsprechend der Intensität der Angst, die sie in Ihnen auslösen, neu anordnen. Beachten Sie auch, dass echte Konfliktsituationen verständlicherweise nicht immer im realen Leben nachgestellt werden können, so dass Sie die Möglichkeit haben, die Szenarien stattdessen zu visualisieren. Am besten ist es aber immer noch, solche Situationen im realen Leben zu erleben, wann immer Sie können.

Wie die Expositionstherapie funktioniert.

Das Arbeitsprinzip hinter der Expositionstherapie ist, dass Sie, wenn Sie sich selbst dazu zwingen, in der Konfliktsituation zu bleiben und die Bandbreite der Emotionen, die Sie in diesem Moment fühlen, vollständig zu erleben - sei es Unbehagen, Wut, Angst oder Furcht -, diese schwierigen Emotionen immer leichter tolerieren und akzeptieren können. Sie können nur dann erfolgreich mit Konflikten umgehen, wenn Sie sich an einem bestimmten Punkt wohl genug fühlen, dass Sie den konfliktauslösenden schwierigen Emotionen standhalten. Und das kann nur geschehen, wenn Sie aufhören, ihnen jedes Mal auszuweichen. Im Wesentlichen stellen Sie fest, dass die Dinge gar nicht so schlimm sind, wie Sie dachten, und dass Sie ganz gut überlebt haben. So können Ängste und Befürchtungen durch die Erkenntnis, dass keine negativen Konsequenzen folgen werden, langsam abklingen.

Wenn Sie sich beispielsweise den Situationen in der oben genannten Angsthierarchie aussetzen, werden Sie die unangenehmen Gefühle und ängstlichen Gedanken erleben, die mit dem Eintauchen in einen Konflikt einhergehen. Wenn Sie lange brauchen, um sich an den Pin für Ihre Kreditkarte zu erinnern, während die Schlange der Kunden, die auf die Bezahlung warten, länger wird, werden Sie sich ängstlich, verlegen und angespannt fühlen.

Aber wenn Sie diesen Gefühlen standhalten und sich weigern, dem Druck nachzugeben, für den nächsten Kunden zur Seite zu treten, werden Sie bald entdecken, dass, egal wie viele Augenpaare Sie weiterhin anstarren, die Welt nicht untergehen wird und Sie deswegen nicht sterben werden.

Das Schlimmste, was wahrscheinlich passieren kann, ist, dass Ihnen jemand sagt, Sie sollen sich beeilen, und das war's dann auch schon. Das gleiche Prinzip gilt für jeden Schritt des Prozesses - Sie können Nein sagen, Ihre Ablehnung ausdrücken und sich gegen eine falsche Behandlung behaupten, ohne dass es das Ende des Lebens bedeutet. Aus solchen Erfahrungen lernen Sie, dass Sie einer Konfliktsituation standhalten und sie überleben können. Wenn Sie sich allmählich immer mehr herausfordernden Szenarien aussetzen, bauen Sie auch eine immer höhere Toleranz für das Unbehagen auf, das mit der Konfrontation mit Konflikten und Auseinandersetzungen einhergeht.

Eine andere Sache, die Sie versuchen können, ist, sich mit Entspannungsmethoden zu beschäftigen, während Sie dabei sind, sich den Konfliktsituationen auszusetzen. Wenn Sie spüren, wie Ihr Herz zu rasen beginnt, Ihre Handflächen kalt und schweißig werden und Ihre Atmung schnell und flach wird, können Sie diesen Angstsignalen entgegenwirken, indem Sie tief atmen. Atmen Sie bewusst tiefer und langsamer, indem Sie durch die Nase einatmen und dabei bis fünf zählen. Dann atmen Sie mit geschürzten Lippen durch den Mund aus, während Sie wieder bis fünf zählen. Die bewusste Entspannung der Atmung wird den Angstsymptomen, die die Konfliktsituation auslöst, entgegenwirken. Dadurch werden Ihr Körper und Ihr Geist darauf konditioniert, dass Sie in Wirklichkeit nicht so ängstlich sind, wie Sie sich selbst glauben lassen.

Das Ziel des Expositionstrainings ist es, Ihnen zu verdeutlichen, dass Konflikte und Konfrontationen nicht so schlimm sind, wie Sie es sich eingeredet haben. Wenn Sie die Einladung eines Freundes zu einer Party ablehnen, wird das nicht zum katastrophalen Untergang Ihrer Beziehung führen oder das Wohlwollen Ihres Freundes für Sie schmälern. Einem Verkäufer zu sagen, dass Sie das Angebot nicht annehmen wollen, wird Sie nicht umbringen. Durch die Expositionstherapie lernen Sie, dass Sie Menschen konfrontieren oder sogar einen Konflikt verursachen können und trotzdem unbeschadet durch die Situation kommen. Die Idee, die diese Technik in Sie einpflanzt, ist, dass es in Ordnung ist, andere zu konfrontieren, wenn die Situation es erfordert. Sie werden wahrscheinlich nie frei von dem Gefühl der unangenehmen Spannung sein, das Sie direkt nach dem Nein-Sagen erleben, aber mit mehr Übung wird es immer einfacher.

Indem Sie lernen, Ihre Angst vor Konflikten und Konfrontationen zu überwinden, rüsten Sie sich mit einem wertvollen Werkzeug aus, um Ihr People-Pleasing zu verbannen. Wenn Sie nicht mehr so viel Angst davor haben, anderen zu sagen, dass Sie anders denken, Nein zu Forderungen zu sagen oder sich zu behaupten, dann sind Sie weniger anfällig dafür, ein Schwächling zu sein. Sie lernen, Ihre Meinung zu sagen, das zu tun, was für Sie am besten ist und Entscheidungen zu treffen, die Ihr Wohlbefinden schützen und Ihr Leben bereichern. Sie hören auf, jemand zu sein, der von dem Bedürfnis versklavt ist, alle Ihre Beziehungen ständig attraktiv und befriedigend für andere zu halten. Und mehr als nur das People-Pleasing abzulegen, erhalten Sie die größere Belohnung, nämlich eine eigenständige Person zu werden.

Fazit:

- Ein lebenslanges People-Pleasing führt zu einigen tief verwurzelten Glaubenssätzen, die neu programmiert werden müssen. Eine Möglichkeit zum Ändern von Glaubenssätzen ist die kognitive Verhaltenstherapie. Sie ist ein Weg, schiefen Glaubenssätzen durch Bedacht und dem Aufzeigen negativer Muster entgegenzutreten. Der einfachste Weg, sich das vorzustellen, ist durch BLUE – „B" steht für „blaming myself", „L" für „looking for bad news", „U" für „unhappy guessing" und „E" für „exaggeratedly negative thoughts". Wir können dies auf die vier Hauptursachen für People-Pleasing aus dem vorherigen Kapitel anwenden.
- Sie müssen egoistischer sein. Oft haben wir den Glauben, dass Egoismus immer

schlecht und nie gut ist. Die Realität ist, dass Sie egoistisch sein müssen, auch wenn Sie anderen dienen wollen, denn nur dann können Sie mit voller Kapazität arbeiten. Egoismus bedeutet nicht, andere unter die Räder kommen zu lassen, sondern es bedeutet einfach, dass Sie Ihrem Körper und Ihrem Geist Priorität einräumen.

- Sie müssen sich selbst akzeptieren und lieben. Ihre Beziehung zu sich selbst bestimmt Ihre Beziehung zu allen anderen, also sollten Sie mitfühlender zu sich selbst sein und verstehen, dass Akzeptanz eine Wahl ist - die typischerweise durch unmögliche Standards und Erwartungen, die Sie an sich selbst stellen, erschwert wird.

- Sie müssen glauben, dass Selbstbehauptung nicht per se schlecht und gleichbedeutend mit Aggressivität ist. Überlegen Sie, was Sie an der Stelle des anderen tun würden, und seien Sie kreativ, wenn es darum geht, Wege zu finden, die beide Menschen in einer Situation weiterbringen.

- Sie müssen Konfrontationen akzeptieren und sich daran gewöhnen. Eine gute Methode, um die Angst vor

Konfrontation zu überwinden, ist die Expositionstherapie. Erstellen Sie insbesondere eine Angsthierarchie für sich selbst in Bezug auf Konfrontation. Dies wird Ihnen helfen, sich an die Spannung zu gewöhnen und Ihnen auch zeigen, dass nichts Schlimmes passieren wird, wenn Sie sich Ihren Ängsten stellen.

Kapitel 4: Ändern Sie Ihre Gewohnheiten

Ein ständiger People-Pleaser zu sein, wie wir gerade besprochen haben, kann Ihr Glaubenssystem stören, indem es Ihr Selbstwertgefühl untergräbt, Schuldgefühle verursacht, Sie dazu bringt, Konflikten auszuweichen und Ihr Selbstvertrauen zu schwächen. Diese schlechten Gefühle führen dazu, dass Sie schlechte Gewohnheiten entwickeln. Gewohnheiten sind automatische Reaktionen auf das, was auf uns zukommt, und viele von uns sind an diesem Punkt einfach darauf konditioniert, automatisch zu gefallen und zu dienen. In diesem Kapitel werden wir untersuchen, was das bedeutet und wie wir es ändern können.

Janelle hasste ihren Job wirklich. Sie hatte das Gefühl, dass jeder um sie herum ein Speichellecker war, der sich nur um seine eigene Clique und sein Privatleben kümmerte, anstatt um die Arbeit, die er eigentlich erledigen sollte. Das Betriebsklima war miserabel und das Jobkarussell in Bezug auf Einstellungen und Kündigungen drehte sich schnell. Aber sie blieb acht Jahre lang in ihrer Firma.

Und warum? Weil Janelle es nicht anders kannte. Sie hatte keine Zeit zu hinterfragen, was passierte, und übernahm eine Menge Verantwortung. Wenn sie nicht alle Teller in der Luft hielt, würde die Firma (so dachte sie) einknicken und bankrott gehen, was noch schlimmer gewesen wäre. Ihre Tage fingen an, miteinander zu verschmelzen, und sie begann, nur noch das zu tun, was sie jeden Abend am schnellsten nach Hause bringen würde.

Janelle hat sich nie dazu geäußert, wie man das Betriebsklima verbessern könnte - sie nahm einfach an, dass es einen Prozess gab, der nicht zu ändern war. In ihrem ersten Job nach der Uni in einer Anwaltskanzlei lernte sie auf die harte Tour, dass manche Typen es nicht mögen, wenn ihre Entscheidungen in Frage gestellt werden. Ein tobender Strafverteidiger machte sie nieder. Diese Erinnerung blieb ihr sehr lange im Gedächtnis und hielt sie davon ab, Wellen zu schlagen.

Doch schließlich, nach acht Jahren, in denen sie sich erdrückt und zum Schweigen gebracht fühlte, hatte Janelle genug. Sie verließ die Firma. Sie hatte einen Punkt erreicht, an dem es keinen Grund mehr gab, sich zurückzuhalten, und erklärte detailliert, warum sie dachte, dass das Betriebsklima so schlecht war, welche Teile des täglichen Betriebs angegangen werden mussten und was geändert werden musste, damit die Firma überlebt.

Janelle ist ein klassisches Beispiel dafür, wie leicht man in schlechte Gewohnheiten verfallen kann, vor allem, wenn es eine emotionale Grundlage gab, mit der es begann. Sie hat sich angewöhnt, die Dinge schleifen zu lassen und ihre Probleme nicht anzusprechen, was dazu führte, dass sie acht Jahre in virtuellem Elend verbrachte. Sind People-Pleaser zu diesem Schicksal bestimmt? Nicht, wenn wir einen genauen Blick auf unsere automatischen Reaktionen werfen und unsere Gewohnheiten ändern.

Sich seiner selbst bewusst werden

Die erste Gewohnheit, die wir entwickeln müssen, ist die Gewohnheit der Selbsterkenntnis. Wir verstehen nicht, *warum* wir Menschen verärgern, und wir sind uns nicht bewusst, *wann* wir es tun. Fehlendes Wissen in diesen beiden Phasen bedeutet, dass wir dazu verdammt sind, die Geschichte zu wiederholen. Wenn wir verstehen, was uns dazu veranlasst, können wir diese Auslöser vermeiden, und wenn wir verstehen, wie es sich anfühlt, wenn wir es tun, können wir die Folgen abmildern.

Das beginnt damit, dass Sie die Motive für Ihr Handeln hinterfragen: „Warum genau setze ich mich für diese Person ein?" „Ist sie mir wirklich wichtig, oder habe ich nur Angst davor, was ohne sie passieren könnte?" „Mache ich das aus freiem Willen oder tue ich es für jemand anderen?"

Versuchen Sie, sich mit den Emotionen auseinanderzusetzen, mit denen Ihr People-Pleasing verbunden ist - ist es Bewunderung und Verbundenheit Ihrerseits oder ist es Angst oder Schuld? Selbsterkenntnis zu erlangen kann so einfach sein, wie eine Checkliste von Fragen durchzugehen, wann immer Sie das Gefühl haben, dass Sie Gefahr laufen, in People-Pleasing zu verfallen, um herauszufinden, ob Sie aus freiem Willen handeln oder aus einer Tendenz heraus, anderen zu gefallen.

Jeder hat damit zu kämpfen, seine Gefühle von einem unvoreingenommenen, objektiven Standpunkt aus zu betrachten. Besonders als People-Pleaser, wenn Sie die Interessen und Emotionen eines anderen über Ihre eigenen stellen, kann es schwer sein, Ihren Gefühlen den gebührenden Respekt zu zollen, den sie verdienen. Denn tatsächlich verstecken Sie Ihre Emotionen. Es ist also ungemein wichtig – wenn auch sehr schwierig – sich die Momente bewusst zu machen, in denen Sie Ihre Gefühle verstecken.

Indem wir unsere eigenen Wahrheiten anerkennen, lernen wir, uns zu verändern. Andernfalls werden wir einfach weiter auf

Gefühle reagieren, mit denen wir nicht wirklich in Kontakt stehen oder die uns nicht bewusst sind, und in diesem Fall gibt es keine Möglichkeit, unsere persönlichen Realitäten zu kontrollieren.

Selbsterkenntnis wird Ihnen helfen zu verstehen, warum Sie so hart arbeiten, um andere Menschen zufrieden zu stellen - ob Sie das tun, weil Sie es wirklich wollen oder weil Sie denken, dass Sie es *müssen*. Sie werden verstehen, ob Sie die Dinge tatsächlich besser machen oder ungewollt schlechter. Und bevor Sie in einen Akt des People-Pleasings verfallen, sehen Sie vielleicht eine Gelegenheit, eine andere Wahl zu treffen.

Wenn Sie im Begriff sind, etwas mit jemand anderem zu tun, von dem Sie nicht sicher sind, ob Sie es tun wollen, achten Sie auf den Moment, in dem Sie anfangen, inneren Widerstand zu spüren. Wenn das passiert, stoppen Sie alles und fragen Sie, warum Sie es tun. Fragen Sie weiter nach dem Warum, bis Sie auf die Wahrheit über sich selbst stoßen, die Sie anerkennen müssen. Alternativ können Sie die beliebte „Fünf-Whys-Methode" anwenden, bei der Sie sich fünfmal „Warum" fragen und sich selbst antworten, um zu dem wirklichen Problem zu gelangen, das Sie haben.

Nehmen wir an, Sie gehen oft mit einer Gruppe von Freunden campen. Sie übernehmen in der Regel die meisten Aufgaben beim Aufbau, wie das Aufstellen des Zeltes, das Organisieren der Mahlzeiten, das Ordnen der Vorräte und all diese Dinge. Sie sind die Bezugsperson und versuchen, die anderen Leute auf dem Campingplatz glücklich zu machen.

Die Sache ist die: Sie *mögen* Camping eigentlich nicht - jedenfalls nicht genug, um es vier Wochen des Sommers zu tun. Jeder andere scheint mehr Spaß zu haben als Sie. Alles in allem würden Sie es wirklich vorziehen, in einem richtigen Haus mit einem Glas Wein und einer netten Netflix-Session zu sein.

„Warum zelte ich?" Nun, Ihre Freunde tun es gerne, und Sie wollen mit ihnen gesellig sein.

„Warum muss es immer Camping sein?" Weil Sie keine alternative Idee für die Freizeitgestaltung angeboten haben.

„Warum mache ich den Löwenanteil des Aufbaus, wenn ich das gar nicht machen will?" Weil Sie Ihren Bedarf an Hilfe nicht verbalisiert haben, Sie denken, dass es einfacher ist, etwas einfach zu tun, als darüber zu diskutieren, Sie denken, dass Sie der Einzige sind, der es tun kann, und so weiter.

Und Sie können immer weitermachen. Irgendwann werden Sie auf einen Punkt stoßen, der die Wurzel Ihres Problems aufdeckt, und hoffentlich wird dieser tiefgreifende Moment Sie dazu bringen, Ihren Umgang mit People-Pleasing neu zu bewerten und zu ändern.

Autonomie aufbauen

Die zweite Gewohnheit, die es zu kultivieren gilt, ist die Gewohnheit der persönlichen Autonomie. Die Sache mit dem People-Pleasing ist, dass es Ihre persönliche Identität nicht einbezieht. Sie agieren unter der Macht der Autorität eines anderen. Sie verlassen sich auf die Überzeugungen und Gedanken anderer. Sie trauen sich nicht, Ihre Meinung zu sagen, wenn Sie nicht wissen, dass alle anderen genauso denken wie Sie. In jeder Hinsicht hören Sie auf zu existieren. Das klingt hart, aber es ist eine genaue Beschreibung von jemandem, der sich allen anderen unterordnet. Es gibt einfach keine Autonomie, und es ist sowohl eine Gewohnheit als auch eine Wahl.

Wir alle brauchen Bestätigung von anderen. Wir blühen auf bei Anerkennung, Komplimenten, Lob und allgemeiner Freundlichkeit. Daran ist nichts auszusetzen. Aber People-Pleaser verlassen sich *ausschließlich* auf die Anerkennung von Außenstehenden. Ihr geringer Selbstwert macht sie völlig abhängig von der Meinung anderer Menschen. Sie sind wie ein Schatten, da sie völlig reaktionär auf andere Menschen sind.

Warum ist das schädlich? Weil es wieder eine falsche Bindung ist. Sie denken, dass Sie als Teil eines Teams oder einer Allianz akzeptiert werden, aber in Wirklichkeit werden Sie immer weiter isoliert. Selbst wenn Sie für Ihre Leistung gelobt werden, spiegelt das eine Aktion wider und nicht Sie selbst. Sie werden von Ihrem Bedürfnis nach Anerkennung angetrieben - nicht von Ihrem eigenen Charakter, Ihren Qualitäten oder Fähigkeiten.

Deshalb ist Autonomie - die Fähigkeit, unabhängig von anderen zu denken und zu handeln - so wichtig. Eine autonome Person weiß, was sie wirklich glaubt und warum sie es glaubt. Sie handelt frei und selbstbewusst. Sie ist in der Lage, selbst Veränderungen herbeizuführen und drückt sich nicht vor ihrer eigenen Verantwortung. Sie setzt ihre eigene Meinung durch und zögert nicht, wenn sie herausgefordert wird. Natürlich ist der Glaube, auf eigenen Füßen stehen zu können, das Gegenteil davon, von der Anerkennung anderer zu leben. Aber es ist dieser einfache Glaube, der es der Autonomie ermöglicht, sich von den Erwartungen anderer Menschen zu lösen.

Wenn eine autonome Person jemand anderem hilft, dann deshalb, weil sie eine echte Sorge für jemanden oder etwas empfindet, die auf ihren eigenen Emotionen oder Prinzipien beruht, nicht auf denen der Außenwelt. Es ist eine freie Entscheidung, die nicht dem Wunsch entspringt, die negativen Folgen von Ablehnung oder Beurteilung zu vermeiden. Autonome Menschen erzeugen *echten* Respekt von anderen - nicht nur das flüchtige Lob oder die müßigen Komplimente, die People-Pleaser antreiben.

Nehmen wir an, Sie arbeiten gemeinsam mit anderen an dem Jahresbericht Ihres Unternehmens. Sie wurden damit beauftragt, den schriftlichen Bericht zu verfassen. Ihnen ist in der Vergangenheit aufgefallen, dass die Texte im Bericht eher trocken und uninvolvierend sind. Sie vermuten, dass dies der Grund ist, warum niemand den Bericht wirklich beachtet, sobald er veröffentlicht ist.

Andere Leute, die in den letzten Jahren an dem Bericht gearbeitet haben, finden, dass er gut geschrieben ist. Er sagt genau das, was sie zu sagen beabsichtigen, und es gibt keinen Grund, sich noch mehr Mühe zu geben. Sie sehen keine Notwendigkeit, die Leute dazu zu bringen, sich für das, was sie präsentieren, zu interessieren. Sie haben Ihnen gesagt, dass Sie sich nicht so anstrengen sollen - machen Sie es so, wie es schon immer gemacht wurde und damit hat sich's.

Sie hören sich ihren Rat an. Dann ignorieren Sie ihn. Sie entwickeln Wege, die Daten so zu präsentieren, dass sie verständlicher werden. Sie erzählen Geschichten, die die Werte Ihres Unternehmens erklären. Sie schreiben Prosa, die fesselnd, aber nie abwegig ist - Dinge, an die sonst niemand gedacht hat. Der Bericht kommt heraus, er erregt Aufmerksamkeit von allen Seiten, die Führungskräfte lieben Ihre Initiative, und jemand schenkt Ihnen aus Bewunderung einen neuen Drehstuhl.

Während Sie früher den einfachsten Weg gegangen wären und das getan hätten, was traditionell war, haben Sie eine Entscheidung getroffen und sind nach dem vorgegangen, von dem Sie überzeugt waren, dass es das Beste ist, unabhängig davon, was andere denken.

Nun ist Autonomie eines dieser Dinge, die viel leichter gesagt als getan sind. Aber der Unterschied im obigen Beispiel ist, dass Sie Ihre eigene Meinung über die von anderen gestellt haben. Oder Sie haben sie zumindest gleichwertig bewertet und nicht aus Gewohnheit Ihre eigene Meinung als minderwertig gegenüber der von anderen eingestuft. Das ist der erste Ansatzpunkt, um die Gewohnheit der Autonomie zu entwickeln. In welchem sprichwörtlichen Raum auch immer Sie sich befinden, Sie sind aus einem bestimmten Grund dort, und Sie sollten diese Tatsache als Beweis für Ihre unabhängigen Gedanken nutzen.

Weniger tun

Eine Gewohnheit, die erfordert, weniger zu tun? Das ist ein einzigartiger Ansatz.

In allen Beziehungen, ob persönlich oder geschäftlich, nehmen People-Pleaser die Haltung ein, dass sie alles bis zum *x-ten* Extrem tun müssen, damit sie nur überleben. Dieses Gefühl führt dazu, dass sie Überstunden machen und mehr, damit sie funktionieren. Für sie scheint es eine lineare Beziehung zwischen der Menge an getanen Gefälligkeiten und der Menge an erhaltener Anerkennung zu geben. Zumindest ist eine große Anstrengung ihrerseits ein notwendiger Teil der Gleichung.

Realistisch betrachtet, sind zu viel Arbeit und zu viel Engagement nicht gerade förderlich für eine gesunde Beziehung. Wenn Sie zu viel an Ihrer Beziehung arbeiten, dann haben Sie nicht genug Energie, um in anderen Bereichen Ihres Lebens zu funktionieren. Zweifellos meinen Sie es gut, aber das Ungleichgewicht nimmt der Beziehung die Kraft und schafft eine ungesunde Dynamik, die Einseitigkeit ermöglicht. Es ist falsch zu denken, dass eine Person, die übermäßig viel in eine Beziehung investiert, auch die Verantwortung der *anderen Person ausgleichen* kann. Einfach ausgedrückt: In diesem Fall gibt es keine Beziehung, zumindest keine gesunde.

Eine großartige Beziehung, ob mit Ihrem Vorgesetzten, Ihren Freunden oder Ihrem Lebensgefährten, ist erfolgreich, weil jeder in ihr die Verantwortung für seinen eigenen Anteil übernimmt. Es herrscht ein Gefühl der Gleichberechtigung und Rücksichtnahme. Wenn Sie zusätzlich zu Ihren eigenen Aufgaben auch noch die Aufgaben anderer übernehmen, schadet das nur der Beziehung. Das Klischee ist wahr: Sie können niemanden wirklich respektieren oder lieben, wenn Sie sich selbst nicht respektieren oder lieben - und das bedeutet, dass Sie wissen, wann Sie zu viel in die Beziehung investieren, und sich entsprechend zurückziehen.

Bekämpfen Sie den Impuls des People-Pleasers, eine einseitige Beziehung aufzubauen, in der eine Person die ganze

Arbeit macht und nichts zurückbekommt. Auch hier geht es darum, sich seiner selbst bewusst zu werden. Untersuchen Sie Ihre Beziehung von einem objektiven Standpunkt aus und erkennen Sie, ob es ein Ungleichgewicht darin gibt, wie viel jeder Partner tut. Dies wird wahrscheinlich leicht zu beobachten sein, wenn Sie sich selbst die folgende Frage stellen und ehrlich beantworten: „Würde diese Person für mich tun, was ich für sie tue?"

Wenn Sie zu dieser Erkenntnis gekommen sind, beenden Sie Ihre einseitige Beziehungsarbeit, indem Sie einfach *aufhören*. An einem bestimmten Punkt wird es eine Linie geben müssen, die Sie nicht überschreiten. Das wird nie bequem sein, besonders mit unserem Drang, so viel wie möglich zu tun, um uns unseren Platz in den Herzen der Menschen zu „sichern". In der Tat haben wir das Gefühl, dass, wenn wir nicht in Bewegung sind, Dinge vergessen und Gelegenheiten verschenkt werden. Aber bedenken Sie das Sprichwort „weniger ist mehr" und erkennen Sie, dass ein Zurücktreten anderen Menschen erlaubt, vorzutreten und die Beziehung auszugleichen. Sie müssen den Menschen den Raum geben, für Sie zu agieren, nicht nur auf Sie zu reagieren.

Nehmen wir an, Sie sind fürs Familienbudget verantwortlich. Dazu gehört, dass Sie wissen, was Ihre Familie braucht und wie viel Budget Sie dafür bereitstellen müssen, um es mit den Rechnungen, der Miete oder Hypothek und allem anderen, was ein Haushalt benötigt, auszugleichen. Niemand sonst in Ihrer Familie achtet wirklich auf das Budget, weil sie einfach davon ausgehen, dass Sie alles unter Kontrolle haben, was eine berechtigte Annahme ist, wenn Sie nichts anderes sagen.

Sie erledigen alle Lebensmitteleinkäufe. Sie machen alle Besorgungen. Sie verwalten den Telefonvertrag und den Wi-Fi-Zugang für alle. Sie treffen Entscheidungen über die Computer- oder Technologiebedürfnisse aller und geben entsprechend aus. Aber Sie sind erschöpft von dem Versuch, die finanziellen Bedürfnisse aller zu sortieren, und ein paar Ihrer Kinder beschweren sich, dass Sie nicht die Art von Getränken besorgt haben, die sie wollten, oder dass ihre Verbindung zu langsam für Online-Spiele ist.

„Vergiss es", denken Sie. „Ich kann nicht mehr all diese Entscheidungen treffen. Wenn die Leute etwas brauchen, müssen sie ein paar der Entscheidungen selbst treffen. Und es würde sicher nicht schaden, wenn sie einen Teil der Einkäufe selbst erledigen würden." Sie treffen eine Entscheidung, weniger zu tun.

Also sagen Sie den Kindern, sie sollen Listen machen, was sie brauchen oder wollen. Sie müssen es selbst herausfinden. Sagen Sie Ihrem Partner, dass Sie möchten, dass er einen Teil der Einkäufe erledigt, vor allem bei Dingen, die sich auf *seine* Wünsche beziehen. Sie lassen jeden seinen eigenen Datenverbrauch auf dem Handy überwachen. Und wenn Sie zum Einkaufen das Haus verlassen müssen, lassen Sie Ihren Partner eine Aufgabe im Haushalt übernehmen, die sonst Sie erledigen würden. War das so schwierig, abgesehen von der Einsicht, dass es getan werden muss?

Sie haben sich entlastet, Ihre Aufgaben neu verteilt, andere dazu gebracht, Verantwortung für ihre eigenen Bedürfnisse zu übernehmen, und sich selbst aus dem Kreislauf des People-Pleasings herausgeholt. Weniger zu tun und zu delegieren und/oder zu entspannen ist eine schwer zu erlernende Angewohnheit, weil es sich so anfühlt, als würden uns die Dinge aus den Händen gleiten. Das tun sie aber nicht. Untätigkeit Ihrerseits bedeutet nicht, dass die Dinge nicht von anderen erledigt werden.

Loslassen lernen

Es ist eine unfreundliche Tatsache des Lebens, dass manche Menschen schreckliche Dinge tun und sagen. Die bedauernswerten Menschen, die unter ihren Handlungen und Worten leiden, können für längere Zeit, sogar für immer, davon verfolgt werden. Tyrannen und negative Menschen gibt es schon immer, und viele bekommen nie die Strafe, die sie wahrscheinlich verdienen. Manche werden sogar für ihre zerstörerische Art verehrt.

Es gibt keinen Grund für uns, mit diesen negativen Menschen zu sympathisieren oder gar zu versuchen, sie zu verstehen. Sie spielen keine Rolle; sie gehören der Vergangenheit an. Aber oft ist das, was sie uns angetan haben, in unserer Psyche noch sehr präsent. Wir können die schrecklichen

Emotionen nicht loslassen, die ihre gefühllosen Handlungen und ihre Geringschätzigkeit in uns ausgelöst haben. Wir erlauben immer noch, dass das, was sie uns angetan haben, uns in der Gegenwart einschränkt, unsere Gedanken diktiert und uns davon abhält, uns zu verwirklichen. Welche Erfahrungen aus der Vergangenheit auch immer Ihr Selbstwertgefühl und Ihre Selbstachtung untergraben haben oder Ihnen Angst vor negativen Konsequenzen gemacht haben, versuchen Sie zu erkennen, dass sie nicht Ihr heutiges Leben repräsentieren. Ihre Gefühle sind nicht die derzeitige Realität, und Ihre Erinnerungen auch nicht.

(Bevor ich fortfahre, sollte ich klarstellen, dass ich hier nicht von Menschen spreche, die emotionalen, körperlichen und sexuellen Missbrauch erlitten haben. Die Opfer solcher Situationen können nicht „einfach darüber hinwegkommen". Ich versuche nicht, ihren Schmerz in irgendeiner Weise zu abzuwerten.)

Es ist natürlich leichter gesagt als getan, diese schmerzhaften Erinnerungen zu verdrängen. Sie können negative Worte nicht ungehört machen. Es ist kein einfacher Prozess, die Last, die Ihnen aufgebürdet worden ist, umzuprogrammieren. Doch wenn wir in der Vergangenheit feststecken, ist es genau das, was uns zurückhält. Wir erinnern uns an vergangenes Übel und halten daran fest. Infolgedessen leben wir in Angst vor einer unsichtbaren Missbilligung - was uns dazu veranlasst, es allen recht zu machen.

Das ist kein guter Umgang mit dem Problem. Es bedeutet, dem Problem zu erlauben, unser Denken zu kontrollieren und uns von unserer Entwicklung abzuhalten. Wir sind Produkte unserer Vergangenheit, aber wir sind nicht unsere Vergangenheit, besonders nicht die Teile, die wir uns nicht ausgesucht haben. Wir sind, wer wir *heute* sind, und das ist eine ganz bewusste Entscheidung.

Unser erster Impuls, wenn ein Problem auftaucht, ist zu versuchen, es loszuwerden, aber das bedeutet nicht unbedingt, es zu *lösen*. Wir wollen nicht mit der emotionalen Belastung fertig werden, die das Problem verursacht, und wir wollen alle schmerzhaften Auswirkungen vermeiden, die daraus entstehen könnten. Aber wir gehen das Problem nicht an - wir versuchen nur, es zu vermeiden und zu vergessen. Sie wissen, dass das nicht dazu führt, dass es verschwindet.

Wenn also eine Erinnerung an eine frühere Verletzung von jemand anderem in uns aufsteigt, rennen wir in Angst davor weg und tun alles, was in unserer Macht steht, damit sich die aktuelle Situation gut *anfühlt*. Das führt uns zum People-Pleasing.

Nehmen wir zum Beispiel an, Sie haben einen Mitbewohner, für den Sie dazu neigen, alles zu tun. Es ist nicht so, dass er faul oder unverantwortlich ist, aber Sie geraten immer in die Lage, für ihn zu kochen, seine Wäsche zu waschen, einige seiner Besorgungen für ihn zu machen und so weiter. Er scheint sich mit diesem Arrangement ein wenig unwohl zu fühlen und bietet an, einen Teil der Last abzunehmen, aber Sie machen weiter.

Warum? Weil Sie als Kind von Klassenkameraden gehänselt wurden, weil Sie langsam waren, nie etwas richtig hinbekamen oder zu kurz kamen, und ihr Mobbing hat Sie bis heute geprägt. Um dem entgegenzuwirken, haben Sie sich also in einen Diener verwandelt.

Das Loslassen der Vergangenheit ist der Weg, wie wir diese Situationen wirklich erträglich machen. Aber Sie müssen die bewusste Entscheidung treffen, dies zu tun. Sie müssen auch den Schmerz anerkennen, den das vergangene Ereignis verursacht hat - das ist ein entscheidender Schritt - und nicht versuchen, zu umgehen oder zu leugnen, wie Sie sich dabei fühlen. Und so schmerzhaft oder undenkbar es auch sein mag, Sie müssen deutlich machen, dass Sie nicht zulassen werden, dass vergangene Tyrannen Sie in der Gegenwart schikanieren. Die Tyrannen sind weg, und Sie sind immer noch hier. Ich will nicht sagen, dass Sie ihnen unbedingt vergeben *müssen* - aber ich sage, dass das in vielen Fällen keine schlechte Idee ist. Die meisten von uns geben einfach ihr Bestes und haben nicht die Absicht, jeden um uns herum böswillig zu verletzen.

Wenn Sie sich mit dieser belastenden Vergangenheit auseinandersetzen und es sich zur Gewohnheit machen, sie loszulassen, werden Sie sich selbstbewusster und freier fühlen, Sie selbst zu sein - und das People-Pleasing ablegen können.

Ehrlicher sein

Wie wir bereits besprochen haben, beinhaltet das People-Pleasing eine Verkleidung. Sie tarnen sich im Dienst an anderen. Das beinhaltet eine Form der Unehrlichkeit, bei der Sie Ihre wahren Gefühle, Gedanken und Meinungen verbergen. Sie erwähnen sicherlich nicht, wenn Sie etwas von jemand anderem brauchen, und das Unterdrücken Ihrer Gefühle ist auf lange Sicht fast nie eine gute Sache.

Deshalb ist es wichtig, sich anzugewöhnen, sich ehrlich auszudrücken. Je mehr Sie kommunizieren, wo Sie stehen, desto mehr Menschen werden wissen, woher Sie kommen (und wo Ihre Grenzen sind). Schließlich können Menschen keine Gedanken lesen, und von anderen zu erwarten, dass sie wissen, was Sie wollen, ist eine unmögliche Aufgabe. Erklären Sie, was Sie brauchen oder wollen, ohne Zweideutigkeit, mit der Überzeugung, dass es das ist, was Sie verdienen. Sie können sich das so vorstellen, dass Sie ungefilterter sind oder Ihre Meinung direkter äußern. Was auch immer der Fall ist, es ist klar, dass

Sie derzeit in vielen Dingen nicht ehrlich zu den Menschen um Sie herum sind.

Dazu gehört vielleicht auch, eine Meinung zu äußern, mit der andere nicht einverstanden sind, und das könnte zu einer leichten Belastung oder Anspannung führen. Sie müssen sich erlauben, mit diesem Unbehagen zu rechnen und lernen, damit zurechtzukommen.

Nehmen wir zum Beispiel an, Sie hängen täglich mit einer Gruppe von Freunden ab. Im Allgemeinen sind Sie immer nur in einer Bar und trinken zu viel. Sie sind gerne in dieser Gruppe, und das Trinken scheint ein großer Teil der Gruppenidentität zu sein. Aber es fängt an, einen Tribut von Ihnen zu fordern, körperlich und geistig, und Sie merken vielleicht, dass es die Gruppenbeziehung nicht wirklich stark macht. Trotzdem haben Sie nichts gesagt, weil Sie ihre Freundschaft nicht gefährden wollen.

Aber jetzt ist der Punkt erreicht, an dem Sie Abstriche machen und sich wieder auf Ihre eigenen Prioritäten konzentrieren müssen. Sie schreiben also eine Nachricht an die Gruppe und sagen ihr, dass Sie sich zurückhalten müssen, dass Sie besorgt sind und sich Sorgen machen, dass Sie alkoholabhängig werden und dass Sie sich auf Ihre Gesundheit konzentrieren müssen. In der Tat wäre es toll, wenn sie alle einmal eine Gruppenaktivität in der freien Natur ausprobieren könnten.

Eine der Hauptmotivationen für People-Pleasing ist das Gefühl der Anerkennung durch andere. Aber die Sache ist die: Sie *brauchen* nicht die Zustimmung anderer, um zu tun, was Sie tun wollen. Wenn Sie nicht vorhaben, ein Verbrechen zu begehen, eine andere Person zu verletzen oder etwas Zerstörerisches zu tun, haben Sie das recht zu tun, was Sie wollen. Anstatt jemandem zu sagen, dass Sie vorhaben, etwas zu tun und ihn zu fragen, ob es in Ordnung ist, sagen Sie einfach, dass Sie es tun werden. Und dann tun Sie es.

Es ist typisch für People-Pleaser, dass sie das Gefühl haben oder zumindest in Frage stellen, ob sie die Dinge, die sie wollen, auch verdient haben. Sie haben die Bedürfnisse aller anderen vor ihre eigenen gestellt und nicht an sich selbst gedacht, wie können sie also wissen, ob sie wirklich verdienen, was sie wollen?

Hier ist Ihre universelle Antwort auf diese Frage: *Ja, das tun Sie.* Anstatt in den Kreislauf zu geraten, etwas zu wollen und zu hinterfragen, ob Sie es wirklich verdienen, konzentrieren Sie sich einfach auf das, was Sie wirklich brauchen. Es kann sein, dass Sie nicht zu 100 % bekommen, was Sie wollen - aber das ist besser als die 0 % Chance, die Sie haben, wenn Sie es nicht versuchen.

Dazu gehört auch, sich selbst Grenzen zu setzen (worauf wir im nächsten Kapitel näher eingehen werden). People-Pleaser trauen sich nicht, Grenzen zu setzen, die andere nicht überschreiten dürfen. Dabei könnten sogar diejenigen, die Sie gar nicht ausnutzen *wollen* - und die meisten tun das nicht -, dies tun, weil sie nicht wissen, wo Ihre Grenzen liegen. Wenn Sie Ihre Grenzen mit absoluter Klarheit definieren, können Sie zukünftige Konflikte und Fehler vermeiden. Und es hilft Ihnen, den Teil von sich selbst zurückzuerobern, der Ihnen durch gedankenloses People-Pleasing genommen wird.

Es kann sein, dass Sie sich extrem ängstlich fühlen, wenn Sie solche Ansprüche stellen. In diesem Fall müssen Sie vielleicht ein wenig mehr Arbeit leisten, um *sich selbst* davon zu überzeugen, dass Sie dazu berechtigt sind. In diesem Fall ist es sehr hilfreich, die Dinge aufzuschreiben.

Bevor Sie Ihren Anspruch formulieren, schreiben Sie den Grund für Ihre Bitte auf. Seien Sie dabei detailliert und offen. Konzentrieren Sie sich auf Ihre Argumente und hinterfragen Sie sie so gut wie möglich - denn wenn Sie Ihren Anspruch vortragen, wird sie der Hauptteil Ihrer Verhandlungsstrategie sein.

Wenn Sie jemanden nur um einen Gefallen bitten, müssen Sie natürlich nicht gleich PowerPoint auspacken und eine komplizierte Diashow mit Diagrammen und Grafiken erstellen. Aber selbst für relativ kleine Anfragen lohnt es sich, Ihre Gedanken aufzuschreiben und zu ordnen. Und Sie können das, was Sie aufgeschrieben haben, gerne mit jemandem besprechen, dem Sie vertrauen. Wenn es Ihnen schwerfällt, solide Gründe für diese Anfrage zu finden, dann ist sie vielleicht gar nicht sinnvoll.

Unter Druck stark sein

Wenn Sie sich entschlossen haben, selbstbewusster zu sein, *werden* Sie mit Missbilligung konfrontiert werden - dem Todfeind jedes People-Pleasers. Dies könnte verbale Kritik oder laute Meinungsverschiedenheiten mit sich bringen. Und einige davon werden zweifellos wehtun. Aber sie werden Sie nicht umbringen.

Die Konfrontation mit dieser Art von Vorwürfen könnte der schwierigste Teil Ihrer Reise aus dem People-Pleasing sein. Aber es ist auch derjenige Teil, der sich am meisten auszahlen könnte, denn er wird Ihre Zähigkeit in fast jeder Art von Krise stärken, selbst in Situationen, die schlimmer sind als ein Streit.

Das erste, was Sie berücksichtigen müssen, ist die Quelle Ihrer Kritik. Oft liegt das eigentliche Problem Ihrer Kritiker gar nicht bei Ihnen, sondern bei *Ihren Kritikern selbst*. Es lohnt sich, sorgfältig darüber nachzudenken, ob ihre Beschwerden wirklich darauf abzielen, Ihren „Fehler" zu korrigieren. Es kann sein, dass sie tatsächlich ihre eigenen Probleme verbalisieren und in ihre Kritik an Ihnen projizieren. Oder sie wissen nicht, wie es ist, in Ihrer Situation zu sein, oder haben nicht die geringste Ahnung von Ihren Umständen. Konstruktive Kritik ist in Ordnung, aber sie wird häufig durch die Erfahrung eines anderen Menschen getrübt. Je härter er gegen Sie vorgeht, desto tiefer sitzt das Problem in ihm. Ziehen Sie diese Möglichkeit in Betracht.

Wenn Sie demjenigen, der Sie kritisiert, von Angesicht zu Angesicht gegenüberstehen, lohnt es sich fast immer, *nicht* sofort eine Antwort zu geben. Wenn Ihnen jemand Kritik entgegenschleudert oder sich darüber beschwert, wie Sie etwas tun, atmen Sie ein paar Mal durch, um sich zu beruhigen.

Bedenken Sie auch, dass Sie überhaupt nicht antworten *müssen*. Sie sind nicht verpflichtet, auf die negativen Äußerungen Ihrer Kritiker zu antworten, wenn Sie das nicht wollen. Sie können sie einfach abtun und Ihren Weg fortsetzen. Das ist nicht in *jedem* Fall ratsam - Sie wollen wahrscheinlich nicht die Meinung Ihres Partners oder eines Polizeibeamten abtun - aber es ist sicherlich in Ordnung bei Streitigkeiten, die auf lange Sicht wirklich nicht so wichtig sind.

Aber wenn Sie sich auf das Hin und Her einlassen wollen, denken Sie daran, worüber wir im letzten Abschnitt gesprochen haben: Meinungsverschiedenheiten sind in Ordnung. Es ist normal, dass zwei Menschen nicht den gleichen Standpunkt zu einem bestimmten Thema haben. Oftmals führen diese beiden Menschen nach ihrer Meinungsverschiedenheit ein produktives und lustiges Leben.

Mir ist klar, dass das schwieriger ist, als es sich vielleicht anhört, denn jeder möchte, dass andere auf seiner Seite sind, weil die Alternative Spannungen mit sich bringt. Aber es ist nichts Falsches daran, sich einfach nicht einigen zu können und diese Sackgasse zu akzeptieren. Es gibt zu viele Menschen in Ihrem Leben, als dass Sie erwarten können, dass sie alle mit Ihren Überzeugungen und Handlungen übereinstimmen werden. Sobald Sie das akzeptieren, werden Sie wahrscheinlich spüren, wie Ihnen eine große Last genommen wird.

In allen Situationen, in denen Sie es mit jemandem zu tun haben, der wütend auf Sie ist, sollten Sie nicht sofort annehmen, dass

Sie derjenige sind, der im Unrecht ist. People-Pleaser neigen dazu, dieses Schnellurteil zu akzeptieren, um den Frieden zu bewahren, aber es ist nicht immer richtig. Wenn Sie nicht mit dem Gedanken umgehen können, dass jemand mit Ihnen unzufrieden sein könnte, dann neigen Sie eher dazu, Ihre Überzeugungen zu kompromittieren, um sich wieder in dessen Gunst zu stellen. Versuchen Sie zusätzlich zu dem, *was* Ihr Kritiker sagt, herauszufinden, *warum* er es sagt. Die Antwort sagt vielleicht mehr über ihn als über Sie aus.

People-Pleaser neigen auch dazu, automatisch zuzustimmen. Wenn jemand sie bittet, etwas zu tun, tun sie es - und zwar sofort, ohne Fragen zu stellen. Aber es ist am besten, diesem Impuls zu widerstehen, einfach auf der Stelle zuzustimmen. Das wird bei demjenigen, der kein People-Pleaser mehr sein will, ein wenig Leid verursachen, weil die Verweigerung einer sofortigen Antwort eine unangenehme Belastung für seine Gefühle darstellt. Wenn Sie es schaffen, dem Druck nicht sofort nachzugeben, denken Sie daran, dass der Druck nicht intensiver oder schwieriger wird als jetzt. Sie brauchen nur fünf

Sekunden extremer Willenskraft, um unter Druck stark zu bleiben und nicht einzuknicken. Danach wird es jedes Mal leichter, vor allem mit der gleichen Person.

Aber noch einmal: *Sie haben das Recht zu tun, was Sie wollen oder brauchen.* Dazu gehört auch, dass Sie Ihre Antwort hinauszögern, bis Sie mehr Zeit hatten, über die Anfrage nachzudenken, egal ob es ein paar Minuten oder ein paar Tage sind. Sie handeln völlig fair, wenn Sie Ihre Antwort aufschieben, bis Sie die Gelegenheit hatten, darüber nachzudenken. Ihre Prioritäten sind hier das Wichtigste.

Sich nicht verantwortlich fühlen für die Gefühle anderer Menschen

Gewöhnen Sie sich schließlich an, genau zu verstehen, wofür Sie verantwortlich sind und wofür nicht.

Der People-Pleaser bürdet sich selbst eine Menge Verantwortung auf - auch in Situationen, in die er nicht unbedingt involviert ist - um sich um andere Menschen zu kümmern, einschließlich des Schutzes ihrer Emotionen und ihrer Gefühle. Wenn es dazu kommt, dass sich jemand aufgrund unseres neu gewonnenen

Selbstbehauptungsvermögens   oder
Selbstbewusstseins schlecht fühlt, fühlen
wir uns für seine Notlage verantwortlich
und handeln, um sie zu verhindern.

Sie möchten instinktiv der emotionale
Beschützer von jemandem sein, und dieser
Wunsch, kein Unglück über andere zu
bringen, erzeugt das gleiche Unglück in
Ihnen.

Wenn also jemand aufgrund Ihrer
Selbstbehauptung ein negatives oder
schmerzvolles Gefühl zeigt, wird der
People-Pleaser es sofort als seine Pflicht
ansehen, dieses Gefühl wieder zu ändern
oder es gar nicht erst aufkommen zu lassen.
Wie wir wissen, geht es dabei nicht um
Großzügigkeit   -   es   geht   darum,
Anerkennung zu erlangen und Unsicherheit
zu beseitigen. Wenn Sie das aus Gewohnheit
tun, fühlen Sie sich unbewusst dafür
verantwortlich, wie sich jemand fühlt, wie
er mit Emotionen umgeht und wie glücklich
er am Ende des Tages ist.

Das ist nicht logisch - genauso wenig wie
ein Kind dafür verantwortlich ist, dass sich
die Eltern streiten, oder ein Ehepartner für
die   Arbeitsprobleme   des   Partners

verantwortlich ist. Aber es kommt häufig vor. Was auch immer der Fall ist, wir treten in Aktion und versuchen, unsere unangebrachte Schuld zu schmälern.

Sie müssen sich realistisch ansehen, für wessen Gefühle Sie *tatsächlich* verantwortlich sind. Es ist unmöglich für Sie, genauso viel Verantwortung für jemand anderen als sich selbst zu tragen, und es ist schädlich, diese Erwartung zu haben. Die Vorstellung, dass Sie diese große Verantwortung tragen, ist eine Schöpfung Ihres eigenen Verstandes - sie entspricht nicht der Realität.

Die Welt ist ständig in Bewegung, mit vielen beweglichen Teilen und Milliarden von Menschen und Tieren, die dazu beitragen. Sie können nicht für jedermanns Gefühle verantwortlich sein, weil es zu viele Elemente gibt, als dass eine einzelne Person damit umgehen könnte.

Denken Sie über Ihre eigene Situation nach. Das Leben ist im Grunde nichts anderes als eine Reihe von Variablen, von denen wir viele nicht kontrollieren können. Wenn Sie eine Entscheidung treffen, berücksichtigen Sie in der Regel mehrere Faktoren: die

168

Situation, in der Sie sich befinden, den Einfluss von Menschen, die Ihnen nahestehen, die soziale Technik und so weiter. Sie sind von einer Vielzahl von Bedingungen, Umständen und Antrieben abhängig, um Ihr Leben zu steuern. Das tut jeder andere auch. Sie können logischerweise nicht für all das verantwortlich sein.

Nehmen Sie stattdessen Ihre eigene Selbstverantwortung an und behaupten Sie diese - Dinge, die vollständig unter Ihrer Kontrolle sind. Das wären Ihre Gedanken, Ihre Worte, Ihre Handlungen und Ihre Gefühle. Jeder Mensch ist für seine eigenen Emotionen verantwortlich. Und sie sind die *einzige* Person, die für ihre Emotionen verantwortlich ist. Bis zu einem gewissen Grad müssen Sie sich angewöhnen, weniger mitfühlend zu anderen Menschen und mehr mitfühlend zu sich selbst zu sein.

Sie denken vielleicht, dass der Versuch, andere Menschen glücklich zu machen, tugendhaft ist oder Sie irgendwie zu einem besseren Menschen macht. Aber das tut es nicht. Ihr Glück und Ihre Gesundheit zu opfern, um andere Menschen glücklich zu machen, ist nicht edel. Es ist egoistisch.

Wenn Sie jemandem, der sich ständig selbst bemitleidet, Aufmerksamkeit schenken, trainieren Sie ihn, sich selbst zu bemitleiden. Sie trainieren ihn auch dazu, Sie zu brauchen. Zu viele Menschen beziehen ihr Selbstwertgefühl daraus, anderen zu helfen, die ihre Hilfe nicht brauchen. Diese Menschen haben keine Ahnung, wer sie sind, aber sie denken, dass andere Menschen sie brauchen. Das ist zumindest das, was sie sich selbst einreden.

People-Pleaser werden nicht geboren - sie werden gemacht. Sie wurden durch die Gewohnheiten konditioniert, die sie sich angewöhnt haben und die sie deshalb unbehandelt gelassen haben, weil jedes Nachlassen in ihren ständigen Bemühungen, andere glücklich zu machen, ihr Haus zum Einsturz bringen könnte. Aber schon ein paar Änderungen in der Herangehensweise und im Denken helfen, schlechte Gewohnheiten auszumerzen, gute Gewohnheiten zu etablieren und schließlich emotionale Freiheit zu erlangen.

Fazit:

- Leider neigen wir mit der Zeit dazu, People-Pleasing als Gewohnheit zu verfestigen - als automatische Reaktion auf die Welt. Wir mögen etwas anderes beabsichtigen, aber wenn unser erster und zweiter Instinkt darin besteht, zu gefallen, werden wir nicht besser darin, uns zu behaupten. Daher wird es notwendig, einige dieser unbewussten Gewohnheiten zu ändern, um Ihre schädlichen Muster zu durchbrechen.

- Erkennen Sie, warum Sie zum People-Pleaser geworden sind, und Sie werden erkennen, dass Sie es nicht aus freiem Willen oder Großzügigkeit tun. Das können Sie einfach tun, indem Sie sich selbst fünfmal hintereinander zu fragen, „warum", um zu verstehen, was hinter Ihren Handlungen steckt.

- Bauen Sie Autonomie auf und werden Sie unabhängiger von den Meinungen und Gedanken anderer. Schätzen Sie Ihre eigenen Meinungen und Gedanken, und ordnen Sie sich nicht automatisch anderen unter.

- Tun Sie weniger und hören Sie auf, einseitige Beziehungen zu schaffen. Sie haben die Menschen darauf konditioniert, sich auf Sie zu verlassen, und um dies umzukehren, müssen Sie ihnen den Raum geben, selbst zu handeln.

- Lassen Sie Ihre Vergangenheit los. Sie hat dazu beigetragen, wer Sie heute sind, aber Sie sind nicht Ihre Erfahrungen und Erinnerungen. Versuchen Sie zu erkennen, wann Sie aus der Vergangenheit heraus handeln oder aus freiem Willen.

- Bleiben Sie unter Druck stark. Wenn Sie mit dem People-Pleasing aufhören, werden Sie mit einigen wütenden Reaktionen konfrontiert werden. Es ist nicht unbedingt die Schuld der anderen, denn Sie haben ihre Erwartungen konditioniert. Aber hier dürfen Sie nicht unter Druck einknicken, wie Sie es früher getan hätten. Es braucht nur fünf Sekunden extremer Willenskraft, und danach wird es jedes Mal leichter.

- Hören Sie auf, die Verantwortung für die Emotionen und das Glück anderer Menschen zu übernehmen. Jeder ist für seine eigenen Emotionen und sein eigenes Glück verantwortlich. Sie müssen nicht der emotionale Vormund von jemandem sein, vor allem dann nicht, wenn es für Sie schädlich ist.

Kapitel 5: Legen Sie Ihre Grenzen fest

Das Schaffen von Grenzen ist wichtig, wenn Sie mit dem People-Pleasing aufhören wollen. Oft sind wir uns nicht bewusst, dass wir anderen vollen Zugang gewähren und sie in unseren privaten Raum eindringen lassen. Wenn wir das zulassen, riskieren wir, uns selbst und unsere Identität zu verlieren, was zu unserer People-Pleasing-Angewohnheit beiträgt.

Ich kenne Rhett und Grant seit meiner Kindheit. Wir waren alle Teil der gleichen Clique in der Schule und gingen häufig zusammen aus, bis wir nach dem Abschluss auf verschiedene Unis gingen. Nachdem wir etwa 10 Jahre getrennt waren, haben wir uns über das Internet wiedergefunden und festgestellt, dass wir ziemlich nah beieinander wohnen, und so haben wir wieder angefangen, uns öfter zu treffen.

Irgendwann in diesen 10 Jahren fing Rhett bei einem Multilevel-Marketing-Unternehmen an. Das ist ein Unternehmen, das (normalerweise) eine bestimmte Art von Produkt verkauft, aber auch aggressiv andere Leute anwirbt, um das Produkt zu repräsentieren und zu verkaufen. Solche Unternehmen erwarten von ihren Mitarbeitern Freunde und Familie ebenfalls anzuwerben, in der Hoffnung, größere Provisionen zu erhalten.

Grant kann, wie er mir erzählte, Multilevel-Marketing-Unternehmen nicht ausstehen. Sie erinnerten ihn alle an Schneeballsysteme. Seine Eltern hatten ein paar Freunde, die in den 1970er Jahren an solchen Programmen teilnahmen, und sie wurden ständig von ihnen genervt (und gingen am Ende pleite).

Außerdem hatte Grant eine bestimmte Grenze, an der er sehr festhielt: Er mochte es nicht, wenn seine Freunde ihm etwas aufschwatzen wollten - egal ob es um Produkte, Politik, Religion oder irgendetwas anderes ging. Grant hatte schon genug „Verkaufsgespräche" für die Arbeit gehört (und gemacht); er hatte kein Interesse daran, dies auch noch von seinen Freunden in seinem Privatleben zu ertragen. Er wollte Geschäft und Freundschaft nicht vermischen und wollte sich auch nicht von vermeintlichen Freunden ausgenutzt fühlen.

Aber natürlich war es das, was Rhett tat. Er versuchte ständig, Grant dazu zu bringen, Vertreter für diese Firma zu werden, drängte ihn immer wieder und schickte ihm Kühlschrankmagnete und Diagramme, die Grant völlig sinnlos fand. An einem Punkt klang Rhett sogar ein wenig verärgert über die Tatsache, dass Grant nicht interessiert war.

Schließlich musste Grant Rhett zurechtweisen: Er hatte ein Problem damit, dass private Freunde versuchten, ihm bestimmte Dinge zu verkaufen. Grant wollte das nicht in seinem Leben haben, und wenn Rhett das weiterhin tun würde, müsste er den Kontakt zu ihm abbrechen.

Rhett wurde ziemlich wütend auf Grant und brach jeglichen Kontakt ab. Im Nachhinein sagte Grant, dass er einen Hauch von Reue verspürte und dachte, dass er versuchen sollte, die Freundschaft zu retten. Aber Grant umging dieses Bedauern und beschloss, die Sache auf sich beruhen zu lassen. Er musste an seinen Prinzipien festhalten und mit den Konsequenzen leben.

Die Erleichterung kam fast sofort. Grant fühlte, dass er für seinen Kodex eingetreten war - dass Freunde ihre Freunde nicht zu Geschäften drängen sollten, die sie nicht wollen - und dass es besser war, einen Freund zu verlieren, als langsam vergiftet zu werden, so schwer es auch fiel.

Grenzen gelten nicht nur für andere Menschen. Wir müssen auch unserem *eigenen* Verhalten und unseren

Gewohnheiten Grenzen setzen, weil wir ohne die Regulierung unserer eigenen Aktivitäten nicht richtig funktionieren können. Beispiele für Grenzen, die wir uns selbst setzen, sind die folgenden:

- Begrenzung der Zeit, die Sie mit einer bestimmten Aufgabe verbringen

- Führen eines Budgets, damit Sie nicht zu viel Geld für Dinge ausgeben, die Sie nicht wirklich brauchen

- Beobachten, wie viel Sie von bestimmten Nahrungsmitteln oder Getränken zu sich nehmen

- Setzen von vernünftigen und realistischen Jahreszielen

- Einhalten eines Tagesplans, der Sie nicht mit Arbeit oder sozialen Verpflichtungen überlastet

Sie können nicht alles für sich selbst tun, also wie können Sie erwarten, dass Sie auch alles für alle anderen tun? Selbstdisziplin ist ein entscheidender Teil eines verantwortungsvollen und glücklichen Lebens, daher ist es immer eine gute Idee, damit zu beginnen, seine eigenen

persönlichen Grenzen zu definieren. Aber
es ist wichtig für einen ehemaligen People-
Pleaser, auch anderen gegenüber klare
Grenzen zu setzen.

Was sind Grenzen?

In Bezug auf den Menschen ist eine Grenze
eine unsichtbare Barriere, die seinen
persönlichen Raum umgibt. Diese Definition
umfasst sowohl den physischen Raum - den
unmittelbaren, buchstäblichen Bereich um
Sie herum - als auch den emotionalen
Raum. Für die Zwecke unserer Diskussion
über People-Pleasing sind wir mehr an der
emotionalen Art interessiert.

Grenzen setzen die Beschränkungen, wie
sehr Menschen in Ihr Gefühlsleben
eindringen können. Sie regeln den „Raum",
den Sie brauchen, um ohne Zwang Ihr
wahres Selbst auszuleben, das Sie von
anderen Menschen respektieren lassen
müssen. Dieser Raum ist notwendig, um
eine gewisse Distanz zu wahren, damit Sie
sich nicht zu sehr von anderen abhängig
machen oder sich in eine andere Identität
verstricken. Eine gute Grenze definiert aber
auch, wer sich Ihnen nähern *kann*, damit Sie
nicht völlig allein oder unnahbar werden.

Mit gesunden Grenzen fühlen Sie sich freier, Sie selbst zu sein, ohne die Last der Erwartungen oder Forderungen anderer. Sie haben den Raum, um kreativer, freizügiger, unabhängiger und einzigartiger zu sein. Sie bekommen eine schöne Pufferzone, die es Ihnen erlaubt, über bestimmte Situationen ruhiger und leichter nachzudenken. Gleichzeitig können Sie mit einer vernünftigen Grenze einladen, mit wem *Sie* Ihre Emotionen teilen möchten - nachdem Sie natürlich Ihre eigenen persönlichen Grenzen auf der Grundlage Ihrer Bedürfnisse definiert haben.

People-Pleaser wissen entweder nicht, dass sie Grenzen setzen müssen, oder sie unterschätzen es drastisch. Sie stellen sicher, dass andere glücklich sind, bevor sie überhaupt daran denken dürfen, ihr eigenes Glück zu finden. Wenn Sie also versuchen, die „People Pleasing"-Routine zu stoppen, ist es ein unumgänglicher Schritt, ein Machtwort zu sprechen und klare Grenzen zu setzen.

Wie Sie erkennen, dass es Zeit ist, Grenzen zu setzen

Vor allem für People-Pleaser kann es schwierig sein, zu erkennen, wenn andere in unseren persönlichen Raum eindringen und unsere Grenzen überschreiten. Schließlich hat man sich selbst als jemand projiziert, der immer für alle da ist, ohne Rücksicht auf die eigenen Bedürfnisse. Im Grunde genommen liegen die Verpflichtungen im Dienste anderer Menschen innerhalb Ihrer Grenzen. Wenn das der Fall ist, was ist dann der Sinn? Der erste Schritt beim Einrichten gesunder Grenzen ist also, zu verstehen, *wann* diese Grenze überschritten wird und wie es sich *anfühlt*, wenn das passiert.

Um das zu tun, müssen Sie auf Ihren Körper und Ihren Geist achten. Wie reagiert Ihr Körper, wenn Sie in der Nähe von jemandem sind, der Sie bedrängt oder anstrengt? Einige typische Symptome könnten ein Anspannen des Bauches oder eine Anspannung im Kopf sein. Setzen Sie sich auch damit auseinander, was Ihnen durch den Kopf geht, wenn Sie in der Nähe dieser Person sind - sind Sie verwirrt, unaufmerksam oder voller Ideen, wie Sie wegkommen können? Sie werden vielleicht nicht in der Lage sein, verletzte Grenzen in dem Moment zu erkennen, aber die

182

Nachwirkungen sollten ziemlich aufschlussreich sein. Sie werden wissen, wie angespannt oder unglücklich Sie sich nach einer Interaktion fühlen.

Nach dieser Diagnose haben Sie etwas Zeit, um genau zu definieren, was Sie an dieser Person stört. Ist es etwas in ihrem Charakter (aggressiv, hyperaktiv, unreflektiert)? Ist sie direkter, als Sie es gewohnt sind? Sagt sie Dinge, die Sie beleidigen oder ärgern? Seien Sie ehrlich und schonungslos zu sich selbst - denken Sie daran, dass Sie diese Informationen mit niemandem sonst teilen müssen.

Mit all den Informationen, die Sie gerade gesammelt haben - Ihre körperliche Reaktion, Ihre geistige Reaktion und Ihr Problem mit der Person - haben Sie tatsächlich eine Art Alarmsystem entwickelt. Wenn Sie all diese Schritte gewissenhaft befolgt haben, werden sie Ihnen beim nächsten Mal, wenn Sie eines dieser Dinge bemerken, als Warnung dienen, dass Sie die Situation überdenken oder Grenzen setzen müssen.

Sie werden schon merken, wenn jemand in Ihren persönlichen oder emotionalen Raum eingedrungen ist und dort Dinge hineinstellt, die Ihnen nicht gehören. Vielleicht denken Sie bei Grenzverletzung an eine bestimmte Art gewaltsamen Eindringens, wie z. B. in Ihre Wohnung zu platzen und nach Tee zu fragen, aber in Wirklichkeit ist es wahrscheinlich, dass immer dann, wenn Sie sich unwohl fühlen, eine Grenze überschritten worden ist. Ignorieren Sie hier nicht Ihre Bedürfnisse.

Hier ist ein Beispiel. Alexa und Elena sind Schwestern. Elena hatte gerade ihren Freund Daniel in die Familie eingeführt. Daniel kam also seit einigen Monaten zu Familienfeiern, und so kam es, dass Alexa immer mehr Zeit mit Daniel verbrachte.

Aber etwas passierte, wenn Alexa in der Nähe von Daniel war. Ihr Magen wurde unruhig, wenn Daniel ihr eine Frage stellte. Ihre Gedanken wurden unruhig. Ihre Nerven reagierten, und sie hatte die Neigung zu fliehen. Aber sie wollte Daniel nicht damit konfrontieren, weil sie so möglicherweise Elena verärgern und einen Familienkrach verursachen würde.

Nachdem Alexa darüber nachgedacht hatte, wie sie in der Nähe von Daniel reagierte, stellte sie fest, dass er sich seltsamerweise zu sehr für das Privatleben anderer Leute zu interessieren schien - insbesondere für die romantischen Teile. Daniel war in ihren Gesprächen ungewohnt offen und fragte manchmal nach persönlichen Details, die zu weit gingen. Und er tat dies auf eine selbstverständliche Art und Weise, so als ob jede Familie auf der Welt diese Art von Gesprächen frei und offen führt. Er merkte nicht, dass seine Fragen Spannungen hervorriefen. Aber sie gingen Alexa, einer sehr privaten Person, gehörig auf die Nerven. Alexa diagnostizierte die Situation und beschloss, einige Grenzen zu setzen.

Als sie das nächste Mal zusammen waren, fing Daniel an, Alexa über ihre Online-Dating-Geschichte auszufragen. (Alexa hatte Elena erzählt, dass sie dem Online-Dating für immer abgeschworen hatte, was Elena Daniel erzählt haben muss.) Alexa sagte Daniel ganz ruhig: „Hör zu, ich habe viel darüber nachgedacht, und ich fühle mich einfach nicht wohl dabei, mein Privatleben so detailliert zu besprechen. Ich weiß, dass du es nicht böse meinst und ich schätze deine Freundlichkeit, aber ich bitte dich, meine Grenzen in dieser Angelegenheit zu respektieren."

Daniel war verblüfft. Er hatte keine Ahnung, dass seine Fragen nicht angemessen waren. Er murmelte eine Entschuldigung und ging weg. Er hat Alexa nie wieder etwas gefragt. Elenas Beziehung mit Daniel ging nach der Konfrontation noch etwa acht Monate weiter. Während Alexa sich nie großartig bei Daniel wieder eingeschmeichelt hat, schafften sie es, ein ziviles und freundschaftliches Verhältnis zueinander zu haben, bis zur Trennung, nach der Alexa ihn nie wieder sah.

Alexas Situation ist gut verlaufen. Es hätte schlimmer sein können: Daniel hätte wütend werden können, Elena hätte sich aufregen können und die Familie hätte einen großen Krach erleiden können. Aber wie auch immer es ausgegangen ist, Alexa hat zu Recht ein Statement abgegeben, dass sie sich behaupten und eine Grenze ziehen musste.

Manchmal wird es Auswirkungen haben, wenn man Grenzen setzt, vor allem bei denjenigen, die nicht böswillig, sondern unaufmerksam sind. Aber die Auswirkungen sind es fast immer wert - sehen Sie sich den Kompromiss an, den Alexa gemacht hat. Auch wenn es für Sie in dem Moment, in dem die Emotionen hochkochen, schwer erkennbar ist, ist es nicht einmal nah dran.

Wie man Grenzen setzt

Hoffentlich sind Sie inzwischen so weit mit sich selbst im Reinen, dass Sie erkennen, dass es an der Zeit ist, Ihren persönlichen Raum zu verteidigen. Jetzt ist es an der Zeit, eine ernsthafte Selbstuntersuchung durchzuführen und sich feste Grenzen zu setzen, die Ihnen helfen, Ihre People-Pleasing-Sucht in den Griff zu bekommen. Hier sind einige Prozesse, die Ihnen dabei helfen werden.

Bestimmen Sie Ihre Grundwerte. Das Leben kann so hektisch sein, dass Sie nicht viel Zeit dafür haben, zu wissen, wer Sie sind und was Sie schätzen. Einige von uns erreichen nie diese Art von Introspektion, selbst wenn sie Zeit dafür haben. Manchmal, wenn wir versuchen, darüber nachzudenken, was wir glauben oder schätzen, denken wir vielleicht nur an das, was andere uns sagen, was wir glauben oder schätzen sollen - unsere religiösen Überzeugungen, Kulturen oder Traditionen.

Es ist wichtig, all das für eine Weile beiseite zu legen und sich darauf zu konzentrieren, was *Sie* als Person wirklich wertschätzen und was Ihren eigenen, individuellen persönlichen Code ausmacht. Um das herauszufinden, denken Sie an Dinge, die Ihnen in irgendeiner Weise Unbehagen bereiten und wie Sie sich deswegen verhalten. Das müssen keine großen, wichtigen oder gar bedeutenden Dinge sein. Es können einfach Ereignisse sein, die regelmäßig genug passieren, dass Sie sie bemerken.

Howard könnte zum Beispiel nicht damit umgehen, eine exorbitante Menge Geld für einen Parkplatz zu bezahlen. Das entspricht nicht seinen Werten (oder, was wahrscheinlich wichtiger ist, dem, was er sich leisten könnte). Aber er lebte in der Nähe einer großen Stadt, wo er zu professionellen Sportveranstaltungen ging, wo Parkplätze regelmäßig fast 100 Dollar für sechs Stunden kosteten. Das wollte Howard auf keinen Fall hinnehmen. Stattdessen fuhr er zu einem Park-and-Ride-Platz und nahm die Stadtbahn zum Spiel für 5 Dollar hin und zurück.

Faszinierende Geschichte, ich weiß. Aber selbst diese eher unbedeutende Geschichte bietet ein paar Ideen über Howards Werte:

- Er ist sparsam, zumindest wenn es um Parkplätze geht.

- Er hat kein Problem damit, einen Umweg in Kauf zu nehmen, wenn es nötig ist.

- Er unterstützt den öffentlichen Nahverkehr.

Ich nenne diese Aussagen „Oberflächenwerte", weil sie nur einige der Indikatoren dafür sind, was Howards *Kernwerte* sein könnten. Wenn wir ein wenig „Nachkonstruktion" betreiben, können wir Beispiele für Howards potenzielle Grundwerte finden:

- finanzielle Verantwortung

- Geduld

- Öffentlichkeitswirksamkeit

Versuchen Sie diese mentale Übung an einigen der Dinge, die *Sie* tun. Nehmen Sie eine Situation, eine Routine oder ein Ereignis in Ihrem Leben, denken Sie darüber nach, wie Sie sich darin verhalten, und versuchen Sie, dies mit den Werten, die Sie haben, in Beziehung zu setzen. Vielleicht finden Sie einige Werte, derer Sie sich gar nicht bewusst waren. Denken Sie sich so viele Beispiele aus wie möglich - am Ende werden ein paar Kernwerte überwiegen, und das sind wahrscheinlich die, an die Sie *wirklich* glauben.

Hier ist eine wichtige Sache zu beachten: Wenn Sie diese Übung machen und das Ereignis, das Sie analysieren, Ihre Beziehung zu einer anderen Person betrifft, stellen Sie sicher, dass Sie sich auf *Ihre* Werte konzentrieren und darauf, was für *Sie* angenehm oder unangenehm ist. Berücksichtigen Sie nicht, was die *andere Person* wertschätzen könnte, und stellen Sie Ihre Werte nicht in den Kontext der Beziehung. Sie müssen bei dieser Übung vorübergehend egoistisch sein, weil Sie versuchen, herauszufinden, was Sie wollen. Sie haben die Erlaubnis, bei diesem Vorgang egozentrisch zu sein. Sobald Sie eine festere Vorstellung davon haben, wofür Sie stehen, wird Ihnen das helfen, entschlossener zu werden und Ihre Tendenz zum People-Pleasing zu zügeln.

Ändern Sie sich selbst - und nur sich selbst.
Während Sie Ihre Werte nochmals
bekräftigen und sich darauf vorbereiten,
Grenzen zu setzen, denken Sie sich
vielleicht: „Diese Situation wäre besser,
wenn meine
Freunde/Partner/Eltern/Kinder/Kollegen
meine Denkweise akzeptieren würden.
Wenn alle es auf meine Art sehen würden,
gäbe es überhaupt kein Problem."

Es ist menschlich, das zu wollen. Wenn wir
auf eine Lösung stoßen, wollen wir allen
erzählen, wie wir uns selbst in Ordnung
gebracht haben: „Ich war verkorkst! Ich bin
nicht mehr verkorkst! Ihr seid immer noch
verkorkst! Ihr müsst genau das tun, was ich
getan habe!"

Oder vielleicht wollen wir einfach nur, dass
die Menschen aufhören, so schwierig im
Umgang zu sein, mit denen wir zu tun
haben. Wir wollen, dass unsere Partner
aufhören, so faul im Haushalt zu sein; wir
wollen, dass unsere Chefs aufhören, uns
herabzusetzen; wir wollen, dass unsere
Freunde aufhören, melodramatisch zu sein.
Auch das ist menschlich.

Aber gehen Sie zurück zu dem, was wir am Ende des letzten Kapitels über das Brechen von Gewohnheiten besprochen haben: „Nehmen Sie Ihre eigene Selbstverantwortung an und stehen Sie dafür ein, dass Sie die Dinge vollständig unter Ihrer Kontrolle haben."

Wir sind nicht dafür verantwortlich, die Verhaltensweisen anderer zu ändern. Nicht nur das, sondern der Versuch, andere Menschen zu ändern, funktioniert fast nie. Was Sie ändern *können* und sollten, ist, wie Sie mit anderen Menschen *umgehen*. Sie werden nicht verhindern können, dass Menschen versuchen, Ihre Grenzen zu verletzen, aber Sie können ändern, wie Sie mit diesen Versuchen umgehen.

Das bedeutet nicht, dass Sie sich verbiegen müssen, um ihnen entgegenzukommen (ein People-Pleaser-Move). Es bedeutet, dass Sie Ihre persönliche Herangehensweise auf der Grundlage der soeben entdeckten Grundwerte ändern und auf eine Weise handeln, die Grenzen kommuniziert. Es bedeutet, mit Menschen, mit denen Sie Probleme haben, auf eine andere Art zu kommunizieren. Es bedeutet auch, dass Sie Ihren emotionalen Standpunkt gegenüber

Menschen behaupten, die Ihren persönlichen Raum übermäßig aggressiv einnehmen.

Angenommen, jemand, der Ihnen nahesteht, ist ein zwanghafter Verschwender. Er kauft ständig Dinge, die er nicht braucht. Er bittet gelegentlich um Kredite, scheint aber immer eine Menge Zeug zu haben oder fährt öfter in den Urlaub, als es eine Person in Geldnot tun sollte.

Sie wissen, wenn diese Person nur eine strengere Haushaltsführung an den Tag legen würde, würde sie ihr Verhalten ändern. Wenn sie nur mehr auf ihren Kontostand achten würde oder ihre finanzielle Zukunft besser planen würde, so wie Sie es getan haben. Würden Sie tatsächlich mit einem Exemplar von *„Budgetierung für Dummies"* in die Wohnung dieser Person marschieren und ihr sagen, dass ihr Lebensstil eine Schnellstraße zur finanziellen Insolvenz und zum Bankrott ist?

Nun, nein. Sie sind nicht verantwortlich für die Probleme dieser Person. Sie haben nicht die Zeit, sie zu lösen. Sie müssen sich um Ihre eigenen Dinge kümmern. Aber was Sie tun *können*, ist, ihnen kein Geld mehr zu geben. Sie können nur Ihr Verhalten dahingehend ändern, dass Sie das Verhalten der anderen Person nicht mehr ermöglichen oder unterstützen. Sie sind nur ein Teil des mentalen Kalküls von jemand anderem.

Die Veränderung Ihres Umgangs mit anderen lohnt sich viel eher als der Versuch, Menschen zu Ihrer Denkweise zu bekehren. Jedes Mal, wenn Sie auf eigene Initiative arbeiten und etwas Transformatives für sich selbst tun können, wird es viel effektiver und fruchtbarer für Ihre eigene Gesundheit sein.

Legen Sie die Konsequenzen fest. Was passiert also, wenn jemand Ihre Grenzen ignoriert hat und fröhlich in Ihren persönlichen Raum eingedrungen ist, nachdem Sie ihm gesagt haben, dass er Ihre Grenzen respektieren soll?

Die Antwort: was immer Sie wollen. Das heißt, innerhalb der Grenzen der Vernunft. Sie haben nicht das Recht, eine Straßenschlägerei zu beginnen oder dessen Computer zu hacken. Aber Sie haben das Recht, Ihren emotionalen Standpunkt zu

vertreten und Ihren persönlichen Raum zu
verteidigen. Um das zu tun, müssen Sie
entscheiden, was die Konsequenz sein wird,
wenn jemand Ihre Grenzen überschreitet.
Das einzige, was Sie nicht tun dürfen, ist
nichts zu tun.

Nehmen wir an, es gibt jemanden auf
Facebook, der Sie ständig wegen eines
Streits belästigt, den sie haben. Sie haben
ihn davor gewarnt, Sie in einem öffentlichen
Forum zu belästigen, aber er tut es
weiterhin. Also entscheiden Sie sich für die
Konsequenz, die Facebook-Freundschaft
mit ihm zu beenden oder ihn zu blockieren.

Dieser Teil kann ein großer, schwerer
Schritt für Sie sein, emotional. Es ist ein
ängstlicher Moment. Aber es ist ein Teil des
Setzens Ihrer Grenzen. Hier geht es um *Ihre*
Bedürfnisse und nur um Ihre. Das sind die
Bedürfnisse, die Sie respektieren müssen.
Wenn jemand diese Schwelle trotz Ihrer
Ermahnungen, damit aufzuhören, ständig
überschreitet, müssen Sie für sich selbst das
Gesetz durchsetzen.

Sie können natürlich damit rechnen, dass
derjenige unangemessen reagieren wird. Er
könnte Sie verurteilend, kurzsichtig, unfair,

unüberlegt oder irrational nennen. Rechnen Sie damit, dass er sich so verhalten wird. Betrachten Sie es einfach als Teil des Prozesses, die Konsequenz zu setzen. Aber lassen Sie es nicht Ihre Entscheidung ändern.

Ein weiterer wichtiger Schritt bei der Festlegung von Konsequenzen ist das Aufschreiben im Voraus. Ich empfehle, die Dinge für so ziemlich jede Situation aufzuschreiben, aber hier ist es besonders hilfreich. Schreiben Sie die Grenzen auf, die Sie haben, die Handlungen, die andere ausführen könnten, um diese Grenzen zu überschreiten, und *was* genau Sie tun werden, wenn sie Ihre Grenzen verletzt haben. Das Aufschreiben ist gut, um Ihre Gedanken zu ordnen und um Sie an Ihre Entscheidungen zu erinnern, falls Sie dies in Zukunft brauchen. Es ist oft schwierig, vernünftige Entscheidungen zu treffen, wenn wir emotional oder ängstlich sind, daher kann es uns helfen uns daran zu erinnern, was wir zuvor mit klarem Verstand entschieden haben.

People-Pleaser fürchten die Ungunst anderer so sehr, dass sie es zulassen, dass Verstöße gegen sie nicht geahndet werden.

Eine feste Richtlinie über die Konsequenzen des Überschreitens Ihrer Grenzen hilft Ihnen, mehr Entschlossenheit und Selbstachtung zu entwickeln.

Weitere Schritte zum Setzen von Grenzen

Niemand sonst weiß, was Ihre inneren Prioritäten sind. Niemand sonst kann Ihnen sagen, wie Sie Ihre Grenzen setzen sollen. Es mag sich nach einer schwierigen Aufgabe anhören, aber das Ergebnis ist, dass Sie eher bereit sind, die Initiative zu ergreifen, um Ihre Werte zu stärken. Für jeden, der versucht, aus einem Leben des People-Pleasing herauszukommen, sind das entscheidende Fähigkeiten.

Hier finden Sie weitere hilfreiche Abläufe zum Prozess der Grenzziehung.

Legen Sie klar und deutlich fest, wo Ihre Grenzen liegen. Sie sind derjenige, der entscheidet, was für Sie funktionieren wird und was nicht. Wenn Sie Ihre Grenzen festlegen und erklären, müssen Sie sie so klar und direkt wie möglich formulieren. Es ist unmöglich, jemanden dazu zu bringen, Ihre Grenzen zu respektieren, wenn Sie sie selbst nicht klar formulieren. Wenn Sie zum

Beispiel nicht wissen, dass Sie sich darüber ärgern, wenn jemand an Ihrem Esstisch isst und eine Sauerei hinterlässt, wie soll *er es dann tun*?

Wenn Sie diese Grenzen festlegen, denken Sie in allgemeinen Begriffen. Verwenden Sie Ihr Wertesystem, um zu definieren, was Sie in spezifischeren Bereichen wollen. Akzeptieren Sie, dass Sie viele Bereiche berücksichtigen müssen, wenn Sie Ihre persönlichen Richtlinien festlegen: persönlichen Raum, persönliche Informationen, Geld und Besitz, Ihre Zeit und Ihren Zeitplan, die Nutzung Ihres Autos (das ist immer ein großes Thema) und so weiter.

Sie dürfen für verschiedene Menschen in Ihrem Leben unterschiedliche Grenzen setzen. Nicht jeder muss sich an die gleichen Regeln und Vorschriften halten; sie können variieren, je nachdem, wie nahe Ihnen bestimmte Personen stehen. Es ist eine Sache, wenn ein Familienmitglied oder ein enger Freund Sie fragt, ob er Ihr Auto ausleihen kann, aber es ist etwas ganz anderes, wenn ein zufälliger Kumpel von der Arbeit oder aus der Bar dies tut. Wenn Sie das Gefühl haben, dass Sie die Grenzen für einige anpassen müssen und für andere nicht, ist das Ihre Entscheidung.

Schließlich verstehen die Leute vielleicht nicht, warum Sie bestimmte Einschränkungen, Regeln oder Grenzen aufgestellt haben. Das ist völlig in Ordnung. Das müssen sie auch nicht. Es sind Ihre Entscheidungen. Wenn andere Menschen das nicht verstehen oder das Gefühl haben, dass Ihre Regeln gegen *ihre* persönlichen Emotionen oder Werte verstoßen, macht das überhaupt nichts. Machen Sie sich keine Gedanken darüber.

Kommunizieren Sie anderen Ihre Grenzen in sehr genauen Worten. Stellen Sie sicher, dass jeder sehr, sehr klar weiß, wo Ihre Grenzen liegen (vor allem, wenn sie für verschiedene Personen unterschiedlich sind). Sie haben die Pflicht, anderen klar, offen und ehrlich mitzuteilen, wo Ihre Grenzen liegen. Sie können nicht davon ausgehen, dass sie einfach richtig raten werden.

Zum Beispiel übernachten ständig Leute auf Ihrem Sofa. Jedes Wochenende bleibt jemand, den Sie kennen, lange aus und will aus irgendeinem Grund nicht zurück nach

199

Hause fahren. Also klopft er an Ihre Tür, fragt, ob er übernachten kann, Sie lehnen ab, und 15 Minuten später ist Ihr Sofa für die Nacht belegt. Und es besteht auch eine gute Chance, dass er sich etwas aus Ihrem Kühlschrank stibitzt, während Sie schlafen. Dies nimmt Ihren persönlichen Raum weg und frisst wahrscheinlich auch ein bisschen von Ihrer Zeit.

Wahrscheinlich haben Sie nicht ausdrücklich klar gemacht, dass diese Vereinbarung für Sie nicht mehr funktioniert. Sie haben diese Grenze nicht klar gesetzt, sondern eher passiv-aggressiv angedeutet, dass Sie genervt sind und das lieber nicht haben wollen. Also dieser Freund es weiterhin tun, weil er nicht weiß, dass Sie ein Problem damit haben. Solange Sie nicht eindeutig sagen, wo Ihre Grenzen liegen, werden die Leute sie immer wieder überschreiten.

Manche Leute verstehen es schon, wenn Sie nur einen kleinen Hinweis geben. Nehmen Sie zum Beispiel die Geschichte von Alexa und Daniel, dem Typen, der zu persönliche Fragen stellte. Alexa könnte ihre Grenzen ausgedrückt haben, indem sie einfach antwortete: „Warum fragst du?" Viele Leute werden diesen Hinweis aufgreifen und sich zurückziehen, sodass Ihre Grenzen intakt bleiben.

Andere sind nicht ganz so intuitiv, und wenn sie den Hinweis nicht verstehen, dann ist es an der Zeit, dass Sie explizit und direkt mit ihnen sprechen. Das ist der schwierige Teil. Alexa hätte etwas sagen können wie „Ich mag das nicht diskutieren", „Ich werde das nicht tun" oder „Bitte hör auf, mich mit diesem Thema zu belästigen. " Dieses super-magische Wort „Nein" ist ein direkter Weg, um Ihre Grenzen zu verteidigen. In ähnlicher Weise können Sie Ihre Couch verteidigen, indem Sie anbieten: „Das wird für mich nicht mehr funktionieren" oder „Das ist das letzte Mal, dass Sie das ohne X machen können" oder einfach „Das wird nicht mehr vorkommen."

Wenn jemand Ihre festgelegten Grenzen nicht versteht und Sie fragt, warum Sie sie festgelegt haben, sind Sie nicht verpflichtet, ihm zu antworten. Sie sind keine Erklärung schuldig. Sie müssen nicht Ihre Argumentation beschreiben oder was Sie zu dieser Entscheidung veranlasst hat. Sie müssen sich für nichts rechtfertigen. Sie kennen sich selbst, Sie wissen, was Ihnen wichtig ist. Sie wissen, warum Sie so fühlen, wie Sie es tun. Das ist alles, worum Sie sich kümmern müssen. Sie müssen für niemand anderen ein Diagramm zeichnen. Denken Sie daran: Wenn Sie Ihre Grenzen kommunizieren, ist „Nein" ein vollständiger Satz.

Lassen Sie Grenzverletzer nicht vom Haken. Sie haben Ihre Grenzen herausgefunden. Sie haben sie anderen gegenüber klar erklärt. Sie haben definiert, was die Konsequenzen sein werden. Und trotzdem überschreitet jemand Ihre Grenzen. Was nun?

Sie müssen Ihr persönliches Recht durchsetzen und dürfen die Übeltäter nicht einfach davonkommen lassen. Es ist Zeit zu handeln.

Die Durchsetzung Ihrer persönlichen Grenzen ist absolut notwendig, wenn Sie versuchen, Ihre Grenzen zu setzen und sich zu behaupten. Deshalb *sollten Sie nur Regeln aufstellen, die Sie auch bereit sind, durchzusetzen*. Jede Regelung, die Sie aufstellen und nur halbherzig durchsetzen wollen, sollten Sie wahrscheinlich noch einmal überdenken - entweder halten Sie die Grenze nicht wirklich für notwendig oder Sie haben nicht alle Details ausgearbeitet. Die Leute werden das bemerken und es als ein Zeichen dafür nehmen, dass Sie Ihre Grenzen nicht sehr ernst nehmen - sie könnten an diesem Punkt genauso gut nicht existieren. Das nennt man eine *verschwommene Grenze*, und es ist ein Zeichen von Schwäche, das andere sofort ausnutzen werden.

Manche Leute werden es Ihnen übel nehmen, wenn Sie Grenzen setzen und Konsequenzen aussprechen. Wir werden gleich noch ein wenig mehr ins Detail gehen, wie man mit negativeren Ergebnissen umgeht, aber für den Moment sollten Sie wissen, dass das passieren wird.

Es wäre zum Beispiel leicht gewesen, einfach zu versuchen, sich von Ihrem Facebook-Mobbing-Freund nicht nerven zu lassen. Sie hätten ihn ignorieren oder andere Wege finden können, mit ihm umzugehen. Aber Sie wissen, wenn Sie ihm weiterhin erlauben, diesen Zugang zu Ihnen zu haben, wird er nur weiter tun, was er tut. Sie haben sich erklärt, Sie haben Ihre Grenzen definiert, und er hat sie ignoriert. Klicken Sie den „Entfreunden"-Button und schauen Sie nicht zurück.

People-Pleasern fällt es schwer, darüber nachzudenken, was für sie richtig ist - ganz zu schweigen davon, für sich selbst einzustehen und die Konsequenzen durchzusetzen. Sie werden feststellen, dass, wenn Sie Ihre Grenzen mit soliden Handlungen untermauern, nur ein kleines bisschen Beklemmung mit der Handlung selbst einhergeht - viel weniger, als wenn Sie es weiter schwären lassen.

Die drei Ebenen der persönlichen Begrenzungen

Sie wissen jetzt, wie Sie Ihre persönlichen Grenzen definieren, erklären und durchsetzen können. Und Sie wissen auch, dass Grenzregeln unterschiedlich sein können, je nachdem, mit wem Sie es zu tun haben. Lassen Sie uns nun besprechen, was tatsächlich passiert, wenn Menschen in Ihren persönlichen Bereich eindringen, egal ob sie das dürfen oder nicht.

Wenn Sie in eine Interaktion mit jemandem verwickelt sind, gibt es im Grunde drei Stufen, die darstellen, wie stark Sie Ihre Grenzen schützen. Einfach ausgedrückt, gibt es zu stark, zu schwach und genau richtig.

Gesund. Das Ziel ist es, Ihre Grenzen auf eine ausgewogene Art und Weise aufrechtzuerhalten. Eine gesunde Grenze stärkt Ihren Charakter, mäßigt Ihre emotionalen Reaktionen und hilft Ihnen, auf eine sinnvolle Weise großzügig zu sein.

Wenn Sie gesunde Grenzen haben, haben Sie einen gesunden Respekt vor sich selbst, Ihren Gefühlen und Ihrer Sichtweise. Sie verraten Ihre Grundwerte nicht, damit andere sie ausnutzen können. Sie tauschen persönliche Informationen aus und geben sie auf angemessene Weise preis. Sie sind auch in der Lage, damit umzugehen, wenn andere Nein zu Ihnen sagen.

Starr. Sie können auch besonders nachdrücklich sein, wenn Sie Ihre Grenzen setzen und sich selbst in eine undurchdringliche Festung verwandeln. Aber dieser Ansatz hat ernsthafte Nachteile. Sie werden wahrscheinlich nur wenige oder gar keine innigen oder engen Beziehungen zu anderen Menschen haben. Sie werden auf andere Menschen distanziert und entfernt wirken, möglicherweise sogar völlig isoliert. Sie werden zurückhaltend sein, wenn es darum geht, andere um Hilfe zu bitten, und Sie werden sich von gefährdeten Situationen fernhalten, um nicht mit Ablehnung konfrontiert zu werden.

Der starre Grenzsetzer tut alles, um sich nicht zu exponieren, schwach oder zu verfügbar zu sein, weil er nicht von jemand anderem verletzt werden will. Aber dabei werden sie trotzdem verletzt - von sich selbst.

Durchlässig. Jemand mit sehr dünnen Grenzen neigt dazu, eine Menge Menschen und Kräfte in sein Leben zu lassen, um im Grunde zu machen was sie wollen. Wenn Sie poröse Grenzen haben, neigen Sie dazu, zu viele persönliche Informationen preiszugeben oder sich viel zu sehr in die Probleme anderer Menschen einzumischen. „Nein" ist ein Wort, das Sie nur sehr schwer sagen können. Sie öffnen sich für unhöfliche und beleidigende Menschen - tatsächlich laden Sie Menschen praktisch ein und erlauben ihnen, Ihr Wohlwollen auszunutzen.

Durchlässige Grenzsetzer sind viel zu vertrauensvoll und rückhaltlos gegenüber anderen Menschen. Sie werden regelmäßig ausgenutzt, sogar von Menschen, die nicht die Absicht haben, sie auszunutzen. Sie sind oft enttäuscht und können verbittert über ihre Existenz werden, auch wenn sie sich selbst noch zu sehr einschränken. Dies ist eine andere Art, verschwommene Grenzen zu beschreiben.

Wenn Sie sich diese Informationen ansehen, sind Sie wahrscheinlich geneigt zu glauben, dass das gesunde Niveau dasjenige ist, das Sie zu 100 % anstreben sollten. Das ist für den Anfang nicht schlecht. Aber Sie *werden* feststellen, dass Sie je nach bestimmten Faktoren in die eine oder andere Richtung korrigieren müssen.

Wenn Sie zum Beispiel ein gutes Verhältnis zu Ihrer Familie haben, würden Sie wahrscheinlich etwas durchlässiger zu ihr sein. Wenn Sie in einer Arbeitsbeziehung mit jemandem stehen, dem Sie misstrauen, würden Sie sich wahrscheinlich in Richtung der starren Politik bewegen.

Sie haben die Freiheit zu entscheiden, wie weit Sie Ihre Grenzen in einer bestimmten Situation beugen oder erweitern. Aber es gibt wenn überhaupt nur sehr wenige Situationen, in denen es eine gute Idee ist, völlig starr oder durchlässig zu sein.

Menschen mit dicken Grenzen sind schwer zu erreichen, sind sehr defensiv und laufen praktisch in einer vollständigen Körperpanzerung herum. Menschen mit einer dünnen Grenze sind übermäßig offen und häufig naiv - es ist leicht, ihnen nahe zu kommen, aber ihre schutzlose Aufrichtigkeit kann auch schlechte Kräfte anziehen.

Bedenken Sie auch, dass verschiedene Weltkulturen unterschiedliche Standards für die Darstellung von Emotionen und Verhaltensweisen haben - einige Kulturen sind sehr offen und demonstrativ mit Zuneigung, andere sind eher zurückhaltend und professionell. Das kann Reisen in der Welt zu einer lustigen Angelegenheit machen.

Das Wichtigste, was Sie bei der Festlegung Ihrer Grenzen beachten sollten, ist, wie ich schon mehrmals gesagt habe, dass Sie derjenige sind, der die Verantwortung trägt. Sie müssen sich selbst vertrauen und daran glauben, dass das, was Sie brauchen, wollen und schätzen, richtig ist. Und Sie müssen wissen, dass Ihre Gefühle genauso wichtig sind wie die der anderen.

Grenzen setzen in der Mitte einer Situation

Es ist immer praktisch, alles im Voraus geplant zu haben. Aber es wird Situationen geben, in denen Sie feststellen, dass Ihre Grenzen durchbrochen werden, und Sie müssen situative, spontane Anpassungen vornehmen, um sich selbst intakt und gesund zu halten. Es werden Umstände eintreten, auf die Sie nicht instinktiv vorbereitet sind, und wenn dies der Fall ist, müssen Sie auf eine Weise reagieren, die Ihre Grenzen aufrechterhält.

Ihre Antwort sollte immer eine klare Botschaft senden. Wenn Sie jedoch versuchen, Ihre People-Pleasing-Gewohnheit zu überwinden, kann es erstmal einfacher sein, subtil und stark zu sein. Schließlich sind Sie daran gewöhnt, jeden zu beschwichtigen, also ist es vielleicht nicht möglich, diesen Modus abzuschalten und hart und entschlossen zu sein.

Zur Veranschaulichung sind hier ein paar Themen und Emotionen, die in einer unvorhergesehenen Situation plötzlich auftauchen können. Ich gebe Ihnen jeweils zwei mögliche Antworten: eine, die subtil und rücksichtsvoll ist, in der Hoffnung, dass Hinweise aufgegriffen werden, und eine andere, die direkter und auf den Punkt ist, nachdem klar geworden ist, dass Nachdruck vonnöten ist. Natürlich kann die Formulierung hier auf viele Umstände angewendet werden.

Geld. Jeder muss mit Geld umgehen, aber vielleicht gibt es ein paar Freunde oder Mitarbeiter, die ständig Unterstützung brauchen. Man kann nicht von Ihnen erwarten, dass Sie ständig Geld, das Sie verdient haben oder das Ihnen rechtmäßig zusteht, an jemanden herausgeben, der Ihre Grenzen nicht respektieren kann.

- Subtil: „Es tut mir leid, in welcher Situation Sie sich befinden. Ich habe nur begrenzte Ressourcen im Moment und kann Ihnen kein Geld leihen."

- Direkt: „Ich kann Ihnen nicht ständig Geld leihen. Ich muss es für meinen eigenen Bedarf und Unterhalt verwenden. Sie müssen einen Weg finden, für sich selbst zu sorgen und selbst an Geld zu kommen."

Zusätzliche Verpflichtungen. Oft ertappen wir uns dabei, dass wir zu viel von unserer Zeit verschenken, und das ist besonders lästig, wenn wir unsere Energien in Bemühungen stecken, die uns wirklich am Herzen liegen. Aber anstatt sich zu sehr für etwas zu verpflichten, sollten Sie die Zeit, die Sie brauchen, um sich um andere Aspekte Ihres Lebens zu kümmern, verteidigen und schützen.

- Subtil: „Ich habe große Sympathie für Ihr Anliegen, aber obwohl es mir selbst am Herzen liegt, ist meine Bandbreite leider erschöpft. Ich würde mich freuen, darüber zu sprechen, sobald ich mehr Zeit habe."

- Direkt: „Ich kann im Moment nicht helfen. Ich habe einfach nicht die Zeit dazu."

Nicht-konstruktive Kritik. Verurteilung, Rufmord und harte Witze über Ihr Aussehen oder Ihr Verhalten sind fast nie in Ordnung, aber es kann schwierig sein, sich zu verteidigen, nachdem Sie schockiert und verletzt wurden. Trotzdem ist es wichtig, sich so schnell wie möglich zu behaupten.

- Subtil: „Mir ist klar, dass Sie vielleicht einen Scherz gemacht haben oder es nicht ernst gemeint haben, aber ich fühlte mich durch Ihre Bemerkungen verletzt. Das ist ein sensibles Thema für mich. Ich hoffe, Sie verstehen das."

- Direkt: „Ich schätze Ihre Äußerungen nicht. Ich werde mich nicht an diesem Gespräch beteiligen, wenn Sie sie weiterhin machen."

Wut. Meinungsverschiedenheiten kommen vor, aber wenn die Emotionen außer Kontrolle geraten, kann es leider leicht passieren, dass jemand das Protokoll nicht einhält und feindselig und beleidigend wird. Es ist wichtig, ruhig, aber bestimmt zu sein, um die Situation abzukühlen.

- Subtil: „Ich möchte, dass Sie versuchen, weniger wütend zu sein. Sie machen es schwierig, zu kommunizieren. Wir können diese Situation nur lösen, wenn wir vernünftig sind. Könnten Sie versuchen, einen gemäßigteren Ton anzuschlagen?"

- Direkt: „Schreien Sie mich nicht an. Würden Sie es selbst tolerieren? Ich verlasse jetzt den Raum. Wenn Sie sich beruhigt haben und mich nicht mehr bedrohen, können wir die Diskussion vielleicht wieder aufnehmen."

Zeit kaufen. Es könnte passieren, dass jemand sagt, dass Sie dringend eine sofortige Entscheidung treffen und etwas sofort tun müssen. Aber der Notfall von anderen ist nicht Ihre Priorität. Halten Sie an Ihrem Zeitplan fest.

- Subtil: „Ich verstehe, was Sie sagen. Ich brauche nur etwas Zeit, um darüber nachzudenken, was der beste Weg wäre, um weiterzumachen. Mir ist klar, dass Sie das als dringend empfinden, aber kann ich mich diesbezüglich bei Ihnen zurückmelden? Das wäre hilfreich."

- Direkt: „Ich werde mich nicht zwingen, eine schnelle Entscheidung zu treffen, ohne darüber nachzudenken. Ich brauche Zeit, um es weiter zu überdenken. Wenn Sie keine weitere Minute auf meine Antwort warten können, dann lautet die Antwort Nein."

Wenn Sie wissen, wie Sie sich bei einer unerwarteten Grenzüberschreitung anpassen und reagieren können, fällt es Ihnen leichter, dem plötzlichen Drang zum People-Pleasing zu widerstehen.

Bereiten Sie sich auf die Nachwehen vor

Und jetzt kommt der lustige Teil! Wenn Sie endlich die persönliche Initiative ergreifen, sich selbst zu respektieren und Ihre Grenzen zu setzen und auch zu verteidigen, wird das vielleicht ein paar Leute aus der Fassung bringen. Sie werden darüber nicht glücklich sein. Sie werden verärgert sein und vielleicht traurig. Ein paar von ihnen werden vielleicht sogar richtig sauer sein. Aber das Festhalten an Ihren Grenzen wird Ihren Beziehungen und Allianzen auf lange Sicht tatsächlich *helfen*.

Wenn die Reaktion eines anderen Menschen Sie dazu bringt, Ihre Grenzen fallen zu lassen, werden Sie sich mit der Zeit von ihm genervt fühlen. Sie dürfen sich nicht von ihm abschrecken lassen. Sie müssen eine Situation schaffen, in der Ihre

Freunde, Verwandten und Bekannten Sie wirklich für das schätzen, was Sie sind, und Ihre Grenzen respektieren - auch wenn sie sich anfangs ein wenig enttäuscht oder unglücklich über Ihre Entscheidung fühlen.

Wie bei jedem guten Geschäftsplan müssen Sie ein gewisses Maß an Risiko einkalkulieren, um die Wahrscheinlichkeit zu erhöhen, dass Ihre Grenzeinstellungen erfolgreich sind. In diesem Fall müssen Sie voraussehen und einkalkulieren, dass jemand verärgert sein könnte, wenn Sie Ihre Grenzen.

Sie müssen daher Ihre Entschlossenheit gegenüber jemandem festigen, der Ihnen gegenüber unangemessen wütend sein könnte. Sie können seine Schikanen oder seine Versuche, Ihre Grenzen zu brechen, nicht akzeptieren. Sie können nicht zulassen, dass er weiterhin Ihre Sympathie oder Hilfsbereitschaft ausnutzt oder Verachtung für die Grenzen zeigt, die Sie ganz und gar zu Recht festgelegt haben.

Wenn Sie einer wütenden Person erlauben, Ihre Entschlossenheit zu schwächen, weil sie Ihnen Angst macht, wird sich Ihre Situation nicht verbessern. Erkennen Sie dies so schnell wie möglich. Wenn Sie Ihre Bitte zurücknehmen, dass sie Ihre Grenzen respektiert, werden Sie nur noch deprimierter und unzufriedener. Mit der Zeit verwandelt sich das in regelrechte Verbitterung und Hass.

Andererseits, wenn Sie angesichts der Empörung von jemandem über Sie standhaft bleiben, wird das Unbehagen nur vorübergehend sein. Sie werden sich vielleicht noch eine Weile verärgert fühlen, aber Sie werden zumindest wissen, dass Sie Ihren Standpunkt vertreten und das verteidigt haben, was Ihnen wichtig ist. Zumindest werden *Sie* sich am Ende sicher sein, dass Sie die richtige Entscheidung getroffen haben. Die Chancen stehen gut, dass ihre Wut ebenfalls nachlässt und Sie immer noch eine Beziehung haben, die Sie wieder neu aufbauen können.

Was auch immer sie so wütend macht, ist nicht Ihr Problem - es ist *ihrs*. Noch einmal: Sie sind nur für Ihre eigenen Handlungen und Taten verantwortlich. *Die andere Person* ist für *ihre eigenen* Reaktionen verantwortlich. Wenn Sie Ruhe bewahren und fest zu Ihren Überzeugungen über Grenzen stehen, werden sie vielleicht endlich lernen, dass sie andere öfter respektieren müssen.

Lassen Sie sich nicht von einer wütenden Person ködern. Wenn deren Wut außer Kontrolle gerät, bleiben Sie ruhig. Lassen Sie nicht zu, dass der Austausch in einem feindseligen Ton stattfindet, nur weil sie wütend ist. Dies ist eine der seltenen Situationen, in denen es ein Zeichen von Stärke ist, untätig zu bleiben. Zerbrechen Sie sich nicht den Kopf über die andere Person und gehen Sie ruhig Ihren Geschäften nach.

Eine andere Sache, die People-Pleaser in Gegenwart einer verärgerten Person oft tun, ist, dass sie sofort versuchen, sie zu beruhigen und wieder in ihre Gunst zu kommen. Sie tun dies häufig ohne nachzudenken. Aber Sie sollten dem Drang widerstehen, alles wieder einzurenken, denn damit geben Sie Ihre persönliche Macht an jemanden ab, der sie nur benutzen will.

Wenn Sie es mit dem Feuer und der Wut von jemandem zu tun haben, der wütend auf Ihre Entscheidungen ist, einschließlich der Festlegung Ihrer Grenzen, ist die

Lösung wunderbar einfach: nichts tun. Das ist nicht immer einfach, aber es ist fast immer der beste Weg.

Um aus dem People-Pleasing-Modus herauszukommen, muss man verstehen, wie wichtig es ist, Grenzen zu ziehen. Man muss bestimmen, welche persönlichen Grenzen es gibt, sie bewachen und sie aggressiv verteidigen, wenn sie überschritten werden. Diese Charakterstärke, wird Sie an Ihren Wert und Ihre Überzeugungen erinnern - und wird Sie aus der unterwürfigen Position herausführen, in der Sie versuchen, es allen recht zu machen.

Fazit:

- Starke und klare Grenzen sind eine Ihrer besten Verteidigungen gegen People-Pleasing und gegen die Menschen, die Sie dazu bringen wollen. Sie können jedoch nicht nur in Ihrem Kopf existieren, und sie können nicht so flexibel sein, dass Menschen keinen Grund sehen, sich daran zu halten. Daher müssen Sie sie klar kommunizieren und ausnahmslos durchsetzen.

- Zuerst müssen Sie Ihre Grenzen definieren, indem Sie herausfinden, was Ihre Kern- und Oberflächenwerte sind. So wissen Sie, was Sie schützen sollten und was Sie loslassen können. Kommunizieren Sie sie anderen gegenüber.

- Der andere wichtige Aspekt ist das Festlegen von Konsequenzen und deren Durchsetzung. Das ist das, was passiert, wenn jemand versucht, Ihre Grenzen zu verletzen, nachdem Sie sie kommuniziert haben. Das kann sein, was immer Sie wollen; das einzige, was es nicht sein kann, ist *nichts*. Wenn Sie sich nicht daran halten, entstehen poröse Grenzen, und die so gut sind wie gar keine Grenzen. Grenzen dürfen aber auch nicht zu starr sein.

- Leider werden Sie fast immer irgendeine Art von negativer Reaktion auf Ihre Grenzen haben. Damit müssen Sie rechnen, aber es wird trotzdem schwierig sein. Menschen mögen es nicht, wenn man ihnen Nein sagt, aber das fällt auf die Menschen zurück, nicht auf Sie als Person.

Kapitel 6: Wie man Nein sagt

Zu lernen, Nein zu sagen, kann das ultimative Selbstbehauptungsvermögen sein, das ein Mensch haben kann. Die meisten von uns wollen gefallen, und wie wir in diesem Buch gelernt haben, ist das nicht unbedingt unsere Schuld. Vielleicht ist es nicht einmal eine bewusste Entscheidung, nicht Nein sagen zu können.

Irgendwo in unserem Leben haben wir entdeckt, dass wir Negativität und mögliche Konfrontation oder Enttäuschung in Zusammenhang bringen. Oder wir setzen keine richtigen und festen Grenzen. Oder wir nutzen einen der vielen Gründe, über die wir in diesem Buch im Zusammenhang mit mangelndem Selbstbehauptungsvermögen gesprochen haben. Das Endergebnis, wenn Sie Ja sagen, obwohl Sie Nein sagen wollen, ist in jedem Fall dasselbe, und darauf zielt dieses Kapitel ab. Sie wissen bereits, was Sie tun müssen, und Sie verstehen vielleicht sogar Ihre psychologischen Hemmnisse.

Das macht das Nein-Sagen nicht auf magische Weise einfach und entfernt auch nicht die damit verbundene Spannung. In der Tat werden Sie sich wahrscheinlich nie zu 100 % an die Spannung gewöhnen, aber zumindest können Sie bestimmte Sätze und Taktiken für das Neinsagen lernen, die Ihnen helfen, Ihre Botschaft anmutiger und reibungsloser zu vermitteln.

„Ich kann nicht" vs. „Ich will nicht"

Es mag Sie überraschen, dass die Art und Weise, wie wir mit uns selbst reden, unsere Fähigkeit, Nein zu sagen, beeinflussen kann. Das *Journal of Consumer Research* (Magazin für Konsumforschung) veröffentlichte eine Studie, in der 120 Studenten in zwei Gruppen aufgeteilt wurden: die „Ich kann nicht"-Gruppe und die „Ich will nicht"-Gruppe. Einer Gruppe wurde gesagt, dass sie sich jedes Mal, wenn sie mit einer Versuchung konfrontiert wurden, sagen sollten: „Ich kann X nicht tun." Wenn sie zum Beispiel mit Schokolade in Versuchung kamen, sollten sie sagen: „Ich kann keine Schokolade essen." Die andere Gruppe, die „Ich will nicht"-Gruppe, wurde angewiesen, zu sagen: „Ich tue X nicht" oder, im Fall von Schokolade, „Ich esse keine Schokolade."

Die Ergebnisse dieser Studie zeigten den großen Einfluss, den schon ein kleiner Unterschied in der Wortwahl auf unsere Fähigkeit, Nein zu sagen, der Versuchung zu widerstehen und zielgerichtetes Verhalten zu fördern, haben kann. Die „Ich will nicht"-Gruppe war überwältigend erfolgreicher in ihrer Fähigkeit, Nein zu sagen.

Wenn Sie sich sagen: „Ich kann nicht", erinnern Sie sich lediglich an die Grenzen, die Sie sich selbst gesetzt haben. Sie erzeugen eine Rückkopplungsschleife in Ihrem Gehirn, die Ihnen sagt, dass Sie etwas nicht tun können, was Sie normalerweise gerne tun würden. „Ich kann nicht" wird zu einer Übung in Selbstdisziplin, und darauf möchten Sie sich nicht ständig verlassen.

Wenn Sie sich andererseits sagen: „Ich will nicht", erzeugen Sie eine Feedbackschleife, die Sie an Ihre Macht und Kontrolle über die Situation erinnert. Sie haben sich selbst einen Strich durch die Rechnung gemacht, der Ihnen die Situation aus der Hand nimmt. Ihre Entscheidung, „Nein" zu sagen, war von vornherein getroffen und so können Sie sich leichter daran halten. Indem wir einfach ein Wort ändern, wenn wir mit uns selbst sprechen, können wir unser Verhalten ändern. Wenn Menschen „ich will nicht" hören, ist das eher eine harte Grenze, wohingegen „ich kann nicht" typischerweise eine offene Antwort impliziert, die Menschen dazu ermutigt, zu versuchen, Sie zu beschwatzen und zu überreden.

Betrachten Sie zum Beispiel eine Situation, in der einer Person, die eine Diät macht, ein kalorienreiches Dessert angeboten wird. Wenn sie „Ich kann nicht" sagt, erinnert sie sich an die Einschränkungen, die durch ihre Diät entstanden sind. Sie hat darüber nachgedacht und eine aktive Entscheidung getroffen, Nein zu sagen. Wenn sie stattdessen „Ich will nicht" sagt, wenn ihr das gleiche Dessert angeboten wird, übernimmt sie die Kontrolle über die Situation und muss sich nur noch an ihre vorbereitete Entscheidung halten. Sie wird sich selbst daran erinnern, dass sie keine kalorienreichen Lebensmittel essen will.

Das „Ich will nicht"-Mantra kann ein unschätzbares Werkzeug in unserem täglichen Leben sein. Indem wir sagen: „Ich lasse mich nicht von meinen Freunden zu Dingen überreden, die ich nicht tun möchte" oder „Ich esse nicht zwischen den Mahlzeiten", machen wir es viel einfacher, Nein zu sagen oder der Versuchung zu widerstehen. Wir stärken auch uns selbst und machen es viel einfacher, unsere Ziele und Wünsche zu erreichen. Wir sprechen sowohl mit uns selbst als auch mit den Bittenden.

Sie haben eine Richtlinie und halten sich daran!

Ablehnende Kategorien

Wenn Sie lernen, „Nein" zu sagen, gilt das gleiche Prinzip für jemanden, der wiederholt Bitten um Gefallen oder Verpflichtungen erhält. Anstatt jede Anfrage einzeln zu prüfen, könnten Sie erwägen, die gesamte Kategorie abzulehnen.

Mit anderen Worten: Anstatt jede Bitte zu prüfen und eine „Ich kann" oder „Ich kann nicht" Entscheidung zu treffen, werden Sie feststellen, dass es viel aussagekräftiger ist, alle Bitten abzuschlagen, die in eine bestimmte Kategorie fallen, wie z.B. „Tut mir leid, ich mache diese Art von Meetings nicht mehr."

Dieser Ansatz nimmt Ihnen die gesamte Entscheidungsfindung bei Bitten von anderen Personen ab und Sie werden feststellen, dass es viel einfacher ist, diese Bitten abzuschlagen. Ja, Sie können Ausnahmen bei Bitten machen, wenn es etwas ist, das Sie wirklich tun möchten oder wirklich tun müssen, aber Sie werden feststellen, dass es viel einfacher ist, einer Bitte zuzustimmen als sie auszuschlagen. Genau wie bei der Aussage „Ich will nicht" im Gegensatz zu „Ich kann nicht", ist das Ablehnen einer ganzen Kategorie eine Grenze, die die meisten Menschen akzeptieren werden. Wenn sie spüren, dass Sie häufig Ausnahmen machen, werden sie versuchen, Sie dazu zu überreden, dass sie noch eine weitere Ausnahme machen.

Ein Beispiel: Unser alter Freund Jack ist ein bekannter Autor, von dessen Kriminalromanen Hunderttausende von Exemplaren verkauft worden sind. Infolgedessen erhält er zahlreiche Anfragen von Gruppen, die ihn einladen, an ihren Treffen teilzunehmen und diese Bücher zu besprechen. Da er mit Anfragen von Gruppen von fünf oder sechs Personen bis zu 200 Personen überschwemmt wird, hat Jack seine eigenen Kriterien für Vorträge vor Gruppen über seine Bücher aufgestellt. Er wird zu keiner Gruppe von weniger als 20 Personen sprechen und er wird keine Gruppenpräsentationen in den Monaten Mai bis August machen, da dies die Monate sind, die er zum Schreiben seines nächsten

Buches nutzen will. Außerdem sind das auch die Monate, in denen seine Kinder nicht in der Schule sind und er möchte sicherstellen, dass er dann Zeit mit ihnen verbringt.

Indem er seine eigenen restriktiven Kriterien zum Filtern von Gastredneranfragen aufgestellt hat, fällt es Jack viel leichter, zu vielen der zahlreichen Anfragen, die er erhält, Nein zu sagen. Er kennt seine Regeln bereits, und es ist einfacher, sich an eine pauschale Regel zu halten, als zu entscheiden, wer eine Ausnahme verdient.

Noch einmal: Wenn es Ihnen schwerfällt, Nein zu sagen, sollten Sie sich vornehmen, mit dem Ablehnen von Kategorien zu beginnen. Nehmen Sie sich vor, Nein zu sagen, wann immer Sie jemand um einen Gefallen bittet. Lehnen Sie die Bitte automatisch und kategorisch ab. Wenn es dann etwas ist, das Sie wirklich tun wollen, können Sie immer noch einwilligen und Ja sagen. Aber Nein sollte Ihre bevorzugte Antwort sein.

Wenn Sie Menschen in Ihrem Leben haben, die Sie dauernd um etwas bitten, ist es vielleicht besser, ihrer Bitte zuvorzukommen. „Ich weiß, dass du am Ende des Monats umziehst. Wenn Du Hilfe beim Umzug brauchst, muss ich dieses Mal leider passen. Meine Frau und ich waren uns einig, dass wir uns bemühen sollten, mehr Zeit mit den Kindern zu verbringen."

Das Beziehungskonto

Das Problem mit „Nein" ist, dass es negativ ist. Nun - ich nehme an, das ist offensichtlich, oder? Trotz seiner Macht, wenn es richtig eingesetzt wird, ist es nicht leicht, Nein zu sagen, besonders für jemanden, der im People-Pleasing gefangen ist. Egal aus welchen Gründen Sie Nein sagen, die andere Partei wird es wahrscheinlich als Ablehnung empfinden.

Direkt Nein zu sagen - auch wenn Sie höflich sind und Ihre Gründe legitim sind - kann sich darauf auswirken, wie andere Sie wahrnehmen. Sie könnten denken, dass Sie frigide, abweisend oder geizig sind.

Unabhängig davon, ob dies Eigenschaften zutreffen oder nicht, zeigen sie, wie viel Macht das Wort „Nein" ausübt.

Wie behaupten wir uns, wenn wir viel zu viel um die Ohren haben, um uns um neue Bitten zu kümmern? Der Wharton-Professor und Schriftsteller Adam Grant kam auf die Idee des Beziehungskontos - oder, wie er es ausdrückt: „Wenn ich dir helfen würde, würde ich andere im Stich lassen."

Das Beziehungskonto beinhaltet einfach die Erwähnung Ihrer Verantwortlichkeiten und Verpflichtungen gegenüber einer anderen Person, wenn Sie den Fragesteller zurückweisen.

Wenn ein Freund Sie zum Beispiel bittet, für eine längere Zeit auf sein Haus aufzupassen, könnten Sie sagen: „Ich habe im Moment einfach zu viele Verpflichtungen - mein Partner und ich bauen unser Haus um, damit es für unsere Kinder einfacher wird. An dieser Front werde ich gerade gebraucht. Sie brauchen jemanden, der sich voll und ganz darum kümmern kann."

Wenn jemand Sie bittet, ihn bei der Arbeit zu vertreten, könnten Sie sagen: „Ich arbeite an einem sehr aufwändigen Projekt, das mich leider von vielen Dingen abhält, an denen ich interessiert bin. Ich habe einfach nicht die Kapazität für all die Dinge, die ich gerne tun würde."

Die Beziehungskontomethode funktioniert, weil sie darauf schließen lässt, dass Sie eigentlich ein positiver, fürsorglicher Mensch sind. Der Grund, warum Sie nicht aushelfen können, ist, dass Sie überlastet sind oder dass jemand anderes auf Sie angewiesen ist. Das reduziert das Gefühl der Ablehnung beim Anfragenden und nimmt die Chance, dass Sie als Spinner oder Nörgler stigmatisiert werden, nur weil Sie Nein gesagt haben.

Dies ist besonders praktisch für jemanden, der mit dem People-Pleasing aufhören will, da es hilft, den positiven Ruf zu erhalten, den er vielleicht hat. Sie werden nicht über Nacht von einem trägen Helfer zu einem scharfen Verweigerer.

„Ja. Was sollte ich ent-priorisieren?"

In Situationen, in denen Sie zu viel zu tun haben, könnte jemand eine Bitte äußern, die Ihren Zeitplan noch mehr überfüllt. Wenn die Zustimmung zu dieser Bitte Ihre

Produktivität gefährden würde, müssen Sie unbedingt in irgendeiner Form ablehnen, sei es bei der Arbeit, in der Öffentlichkeit oder zu Hause. Aber es kann trotzdem sehr schwer sein, Nein zu sagen, besonders zu Menschen mit Autorität wie einem Chef oder zu Menschen, für die wir starke Gefühle haben und die wir nicht enttäuschen wollen.

Eine andere Möglichkeit, in solchen Situationen Nein zu sagen, ist, Ja zu sagen - mit einem Haken. Stimmen Sie zu, das zu tun, worum man Sie bittet, aber fragen Sie *auch,* welche Ihrer vielen anderen Aufgaben Sie aufgeben sollten, um Platz für diese Bitte zu schaffen.

Die Entpriorisierung eignet sich besonders gut für Arbeitssituationen, in denen Sie jemandem unterstellt sind, der höher steht als Sie: „Klar, ich helfe Ihnen gerne, unser Budget für das nächste Jahr durchzugehen. Welche andere Aufgabe kann ich vorerst beiseiteschieben, damit ich mich darauf konzentrieren kann? Soll ich die Marketing-Präsentation oder das Archivprojekt erst einmal auf die lange Bank schieben?"

Aber es ist auch in persönlichen Situationen effektiv. „Ich würde dir gerne am Wochenende beim Umzug helfen, aber ich müsste entweder meinen Besuch bei meiner Mutter oder die Ballettaufführung meines Kindes absagen. Was würdest du tun?" „Ich kann dir beim Streichen des Wohnzimmers helfen. Soll ich das Aufräumen der Garage oder die Arbeit am Gemüsegarten hinten anstellen?"

Dieser Ansatz funktioniert aus vielen Gründen. Ihre „Ja"-Antwort sendet eine positive Botschaft und suggeriert eine Bereitschaft. Indem Sie den Fragesteller bitten, selbst zu entscheiden, welche Dinge er vorerst übergehen möchte, geben Sie ihm den Anschein, eine Wahl zu haben (während *Sie* in Wirklichkeit die Entscheidung treffen). Am wichtigsten ist vielleicht, dass es eine subtile Art ist, zu sagen: „Ich habe im Moment zu viel um die Ohren." Es lenkt die Aufmerksamkeit darauf, dass die Person zu viel verlangt hat und dass Sie nicht die Absicht haben, jede seiner Launen zu erfüllen.

Sie etablieren sich auch als methodischer Zeitplaner, denn Sie haben viel zu viel zu tun, aber Sie halten es organisiert und unter

Kontrolle. Und schließlich setzen Sie sich selbst eine Grenze, und zwar auf die höflichste Art und Weise, die möglich ist. Vor allem, wenn Sie versuchen, aus dem People-Pleasing-Modus auszubrechen, sind das entscheidende Schritte.

Verständnis säen durch präventives Nein-Sagen

Sicherlich kennen Sie ein paar Leute, die die ständige Angewohnheit haben, um Dinge zu bitten. Sie können ihr Bedürfnis fast in dem Moment spüren, in dem sie den Raum betreten. Sie wissen, dass sie irgendwann - wahrscheinlich mehrmals - eine Bitte an Sie richten werden, die Sie ausschlagen müssen.

In diesen Fällen gibt es einen sehr subtilen Trick, den Sie anwenden können, um sie abzuweisen. Er ist so trickreich, weil Sie ihn in einer Situation anwenden, in der Sie *nicht* um etwas gebeten werden. Es ist etwas, das Sie in einem normalen Gespräch oder Treffen tun.

Wenn Sie mit der Person sprechen, von der Sie wissen, dass sie Sie irgendwann anhauen wird, sprechen Sie über alles, was in Ihrem Leben vor sich geht, weswegen Sie in naher (oder auch ferner) Zukunft zu jemandem Nein sagen müssen. Dies funktioniert genau wie das Beziehungskonto, nur dass Sie es benutzen, bevor Sie um etwas gebeten werden.

Sprechen Sie darüber, wie beschäftigt Sie sind und was Sie alles tun. Erläutern Sie, wie knapp es Ihnen an Ressourcen wie Geld oder Arbeitskraft ist. Erzählen Sie ihr alle Gründe, warum Sie im Moment zu *anderen* Menschen in Ihrem Leben Nein sagen müssen.

Wenn Sie z. B. mit einem Freund zusammen sind, von dem Sie glauben, dass er für längere Zeit bei Ihnen übernachten möchte, können Sie sagen: „In meinem Haus wird es langsam wirklich eng - es scheint, als hätte ich keinen Platz mehr, um meinen persönlichen Raum zu haben. Ich bin immer überfüllt. Es ist so voll, dass ich nicht einmal Leute zu Besuch einladen kann."

Wenn Sie damit rechnen, dass jemand bei der Arbeit Sie bittet, neue Aufgaben zu übernehmen (vor allem, wenn Sie im Voraus wissen, dass Ihre Firma umorganisiert), können Sie sagen: „Ich kann nicht glauben, wie beschäftigt ich in letzter

Zeit war. Es gibt so viele neue Dinge, die ich zu berücksichtigen habe, dass ich immer noch dabei bin, sie in meinen Tagesplan einzuarbeiten. Ich weiß nicht, wie ich mit all dem Schritt halten kann."

Das funktioniert, weil es Ihre Gründe für das Nein-Sagen für die absehbare Zukunft festlegt. Sie haben den Eindruck erweckt, dass Sie ein sehr volles Leben und einen vollen Terminkalender haben, der Ihnen nicht viel Raum lässt, um etwas Neues anzunehmen oder zu tun. Und wenn der Dauerbittsteller seine Bitte formuliert, können Sie ihn daran erinnern, dass Sie bereits erwähnt haben, warum Sie Nein sagen müssen: „Wie ich Ihnen neulich schon gesagt habe, habe ich im Moment eine Million Dinge auf meinem Tisch."

Das ultimative Ziel bei der präventiven Verweigerung ist natürlich, dass die Leute aufhören, Sie um Dinge zu bitten. Sie werden schon im Voraus wissen, dass Sie ihnen wahrscheinlich nicht helfen können. Das ist das Traumszenario eines Ex-People-Pleasers.

Sie könnten so geschickt darin werden, in solchen Situationen Nein zu sagen, dass Sie in der Lage sind, eine präventive Absage zu erteilen, *lange* bevor der Fragesteller überhaupt weiß, dass er fragen wird. Der Typ, von dem Sie denken, dass er Sie fragen wird, ob Sie seiner teuren Fantasy-Football-Liga beitreten wollen? Sie können einfach etwas sagen wie: „Ich bin so pleite. Ich werde so viel arbeiten müssen, dass ich glaube, dass ich dieses Jahr überhaupt keinen Fußball mehr schauen werde."

Einfach halten

Die beste Art und Weise, Nein zu sagen, ist einfach und geradlinig. Es gibt keine Tricks, wie man es macht; es ist nur das natürliche Unbehagen und die Spannung des Aktes.

Wenn Sie sich lange Zeit passiv verhalten haben, werden die Leute überrascht sein, wenn Sie Nein sagen. Und wenn Sie es mit jemandem zu tun haben, der eine Alpha-Persönlichkeit ist, wird er mit ziemlicher Sicherheit versuchen, Sie dazu zu bringen, Ihre Entscheidung zu ändern. Schließlich könnte Ihr Mangel an Selbstbehauptung der Grund sein, warum er überhaupt mit Ihnen zusammen ist, und es ist schwer, diese Beziehungsdynamik zu ändern, wenn sie einmal festgelegt wurde. Rechnen Sie mit

Gegenwehr und Schock, wenn Sie die Dynamik ändern.

Das Schlimmste, was Sie in einer solchen Zwangslage tun können, ist, Ihre Entscheidung zu revidieren. Wenn Sie das tun, sollten Sie wissen, dass Sie bei zukünftigen Anfragen mit der gleichen Person in die gleiche Zwickmühle geraten werden. Denn sie wird wissen, dass Ihr Nein verhandelbar ist. Reagieren Sie wie eine Schallplatte mit Sprung Antworten Sie jedes Mal, wenn die Person fragt, mit einem schnellen und einfachen Nein, das keinen Raum für Verhandlungen lässt. Wenn Sie den Anschein erwecken, dass Sie Spielraum haben, ermutigen Sie die Leute nur dazu, Sie weiterhin zu überreden.

Widerstehen Sie dem Moment. Die schwierigste Zeit des Neinsagens kommt meist direkt danach. Und zwar dann, wenn Sie Hilfe anbieten, weiterreden oder irgendetwas tun wollen, um die Spannung abzubauen, die Ihr Nein erzeugt hat. Das ist normalerweise der Zeitpunkt, an dem Sie anfangen zu schwanken: „Nun, wenn Sie wirklich meine Hilfe brauchen, könnte ich vielleicht..." „Das würde ich lieber nicht, aber..." Widerstehen Sie der Versuchung und schweigen Sie, denn in diesem Moment geht Ihre Selbstbehauptung oft verloren.

Wenn Sie Nein sagen, denken Sie daran, dass Sie keine Ausreden erfinden müssen. Sie können sagen, dass Sie beschäftigt sind, dass es nicht in Ihrem Bereich liegt oder was auch immer Ihr Grund ist, aber das war's. Lassen Sie es dabei bewenden. Wenn Sie immer noch das Bedürfnis haben, ein „weil" am Ende Ihres Satzes hinzuzufügen, halten Sie es kurz und einfach und gehen Sie nicht auf die Details ein. Je mehr Details Sie angeben, desto mehr Futter geben Sie den Leuten, auf dem sie herumhacken können. Wenn Sie z. B. sagen, dass Sie einem Freund beim Umzug nicht helfen können, weil Sie morgens mit Ihrer Katze Gassi gehen müssen, schaffen Sie eine Möglichkeit für Leute, zu bestreiten, dass Sie überhaupt mit einer Katze Gassi gehen müssen.

Mogeln Sie sich nicht durch eine faule Ausrede, warum Sie Nein gesagt haben. Fühlen Sie sich nicht gezwungen, eine Alternative oder etwas, das Ihr Nein wettmachen kann, mitzuteilen. Es ist in

Ordnung, einfach Nein zu sagen. Eine weitere Erklärung ist nicht nötig. Denken Sie insgesamt daran, dass ein „Nein" ein vollständiger Satz sein kann.

Schaffen Sie Freiräume. Wenn Sie nicht einfach „Nein" sagen können oder wenn Sie nicht sofort „Nein" sagen können, ist eine andere Möglichkeit, die Entscheidung aufzuschieben oder in die Zukunft zu verschieben. Sagen Sie ihnen, dass Sie darüber nachdenken werden und bitten Sie gegebenenfalls darum, etwas zu tun, um Sie darauf vorzubereiten. Mit anderen Worten, legen Sie die Last wieder auf die andere Person zurück, indem Sie sie um etwas bitten, das Ihnen hilft, ihre Bitte zu überdenken. Verwirrt?

Nehmen wir Jonathan, der sehr klug ist und Unternehmen als Mentor betreut. Er wird ständig von Leuten auf einen Kaffee eingeladen, die ihn gerne „ausquetschen" würden und ansonsten Informationen von ihm aufsaugen wie ein Schwamm. Wie Sie sich vorstellen können, hat er nicht für jeden, der ihn fragt, Zeit. Er muss ziemlich oft Nein sagen, aber er hat einen Weg gefunden, das zu umgehen. Er schafft eine

Hürde, die derjenige nehmen muss, bevor er zu weiterem bereit ist. Wenn ihn jemand um einen Kaffee bittet, bittet er ihn, per E-Mail eine Agenda oder einen Plan zu schicken, was derjenige besprechen möchte und warum. Von 99 % der Leute hört er nie wieder etwas.

Wie Sie an Jonathans Fall sehen können, wird sehr deutlich, wer Sie nur für etwas benutzen will, ohne bereit zu sein, in irgendeiner Weise beizutragen oder Ihnen entgegenzukommen. Wenn Sie jemand um etwas bittet, stellen Sie eine Bedingung auf, die er erfüllen muss, damit Sie seine Bitte in Betracht ziehen. Das verschafft Ihnen Zeit und Raum, und die meisten Leute werden sich nie wieder bei Ihnen melden, weil sie sich die Arbeit machen müssten!

Eine andere verwandte Art, Nein zu sagen, ist etwas in der Art von „Ich bin mir im Moment nicht sicher, aber können Sie sich später noch einmal mit mir in Verbindung setzen?" Das hat den gleichen Effekt, nämlich dass die Last auf jemand anderen abgewälzt wird. Und wir wissen natürlich schon, dass das beste Szenario beim Abwälzen der Last auf jemand anderen ist, dass er Sie einfach aus Faulheit in Ruhe lässt oder es vergisst. Sie können auch die Variante „Ich kann jetzt nicht, aber vielleicht, wenn sich meine Umstände ändern." verwenden.

Köder und Angebot. Eine andere Möglichkeit, wenn es Ihnen schwerfällt, Nein zu sagen, ist ein Lockvogelangebot: „Das kann ich nicht, aber was anderes kann ich machen."

„Ich kann nicht den ganzen Tag damit verbringen, dir beim Umzug in eine andere Wohnung zu helfen, aber ich kann dir zwei Stunden geben."
„Ich kann dieses Wochenende nicht mit dir ausgehen, aber ich verspreche, dass ich mir innerhalb des nächsten Monats etwas Zeit dafür nehmen werde."
„Ich kann nicht im Vorstand mitarbeiten, aber ich bin bereit, auf einer Ad-hoc-Basis zu beraten, wann immer ich Zeit habe."

Was Sie hier tun, ist, Nein zu der Anfrage zu sagen und einen kleineren Trostpreis anzubieten, der abgelehnt werden kann oder auch nicht. Es kann eine legitime

Alternative sein, etwas das Sie bereit sind zu tun, aber es muss nicht sein.

Ihr Nein ist verschleiert, weil Sie zumindest oberflächlich noch offen und willig zu sein scheinen. Wenn Sie etwas relativ kleines anbieten, wird man wahrscheinlich ablehnen und Ihnen sagen, dass Sie sich die Mühe nicht zu machen brauchen. Noch besser ist es, wenn Sie keine genauen Angaben machen und es so offen wie möglich lassen. In den meisten Fällen wird die Lockvogeltaktik dazu führen, dass man von einer Bitte oder Verpflichtung befreit wird. Diese Taktik mildert die meisten Spannungen, weil Sie zu etwas ja sagen, nur nicht zu dem, was konkret gefragt wird.

Halten Sie es unpersönlich. Oft fühlt es sich schrecklich an, wenn wir Nein sagen, weil wir wissen, wie wir uns fühlen würden, wenn wir zurückgewiesen würden. Wir nehmen es vielleicht persönlich und grübeln darüber nach, wie egal wir jemandem sind oder wie sehr uns der symbolische Wert fehlt. Deshalb ist es wichtig, Ihr Nein so unpersönlich wie möglich zu halten und sich so sehr wie möglich auf die konkrete Situation zu konzentrieren.

Im Wesentlichen weisen Sie die Person wegen der Situation und der Umstände zurück, und nicht wegen der Person selbst. Manche Menschen haben Schwierigkeiten, beides zu trennen, aber ersteres ist viel, viel einfacher zu sagen und zu hören.

Sie sind zum Beispiel zu einer Party eines Freundes eingeladen, und erfahren nun, dass Ihr Ex, mit dem Sie eine besonders unschöne Trennung hatten, dort sein wird. Ihr Freund macht Ihnen Vorwürfe, weil Sie nicht kommen, aber in Wirklichkeit geht es nicht um Ihren Freund: Es geht um die Situation und darum, mit jemandem in einem geschlossenen Raum zu sein, der Übelkeit bei Ihnen verursacht. In diesem Fall würden Sie betonen, dass Sie nicht Nein dazu sagen, Zeit mit Ihrem Freund zu verbringen, was er vielleicht wahrnimmt, sondern stattdessen Nein dazu sagen, in der Gegenwart Ihres Ex zu sein.

Ein kleines bisschen Bedauern hilft immer - zum Beispiel: „Ich würde wirklich gerne und ich habe mich wirklich darauf gefreut,

mit dir abzuhängen, aber ich kann nicht!"
Wenn Menschen sich bestätigt und nicht
zurückgewiesen fühlen, werden sie ein Nein
viel leichter akzeptieren. Achten Sie nur
darauf, dass Sie sich auf die spezifischen
Umstände konzentrieren und darauf,
warum sie für Sie nicht funktionieren
werden.

Den Schwarzen Peter weitergeben. Hier
sagen Sie nicht so sehr „Nein" als vielmehr
„Ja, aber...". Erlauben Sie mir, das zu
erklären. Den schwarzen Peter weitergeben
bedeutet, die Verantwortung auf jemand
anderen abzuwälzen.

Das ist, wenn Sie vorschlagen, dass jemand
anderes viel besser und qualifizierter wäre
als Sie und Sie sich deshalb zurückziehen
sollten. Sie würden dem Bittsteller nicht
gerecht werden, aber Sie können ihm
immer noch helfen, sein Problem zu lösen,
indem Sie jemanden finden, der es kann.
Der Bittsteller wird nicht unbedingt ein
Nein hören, und darum geht es.

Wenn Sie zum Beispiel jemanden bitten, Sie
zum Flughafen zu fahren, könnten Sie
sagen: „Nein, ich bin ein schrecklicher

Fahrer und das Fahren auf der Autobahn macht mir Angst, aber Ted ist ein großartiger Fahrer und hat an diesem Tag vielleicht Zeit!" Sie haben erfolgreich den Schwarzen Peter an Ted weitergegeben, indem Sie sich selbst im Vergleich zu dem, wie Ted das Problem lösen könnte, schlecht aussehen lassen.

Menschen bitten Sie um Dinge, weil sie ein Problem lösen wollen, das sie haben. Wenn Sie sich selbst wie eine schreckliche Lösung erscheinen lassen, sie aber gleichzeitig in die Richtung einer echten Lösung weisen können, haben Sie eine Verpflichtung vermieden.

Nein zu sagen ist eine wertvolle Fähigkeit. Wenn Sie lernen, Nein zu sagen, können Sie die Kontrolle über Ihr Leben und Ihre Zeit übernehmen. Wenn Sie lernen, Nein zu sagen, können Sie die Dinge vermeiden, die Sie nicht tun möchten. Wenn Sie lernen, richtig Nein zu sagen, können Sie Spannungen, Konfrontationen und Ärger vermeiden. Ein Leben ohne Nein ist nicht Ihr eigenes Leben; es ist eines, das für andere Menschen gelebt wird.

Wie jede Fähigkeit ist auch die Fähigkeit, Nein zu sagen, oft ein erworbenes Talent. Auch Sie können lernen, Nein zu sagen. Es braucht vielleicht etwas Zeit und etwas Übung, aber wenn Sie geübt sind, Nein zu sagen, werden Sie sich fragen, was Sie mit all der freien Zeit anfangen sollen, die Sie jetzt haben.

Wie bereits erwähnt, werden Sie zumindest einen kleinen Rückschlag erleiden, wenn Sie Ihren Standpunkt vertreten. Das wird auch passieren, wenn Sie anfangen, Nein zu sagen, selbst wenn Sie einige der kreativeren Methoden anwenden, über die wir in diesem Kapitel gesprochen haben.

Die Menschen, denen Sie früher automatisch gefallen wollten, könnten unangemessen beleidigt sein, weil sie keinen regelmäßigen Zugang mehr zu Ihnen haben werden. Sie waren es gewohnt, einfach Dinge von Ihnen zu erwarten und dass Sie diese Dinge ohne Protest getan haben. Das ist jetzt nicht mehr der Fall, weil Sie diese Beziehung verändert haben, also können Sie mit anfänglichen Rückschlägen rechnen.

Aber mit der Zeit - genau wie wenn Sie Ihre Grenzen setzen - wird dieser Ärger zurückgehen und sich hoffentlich in Respekt verwandeln. Sie werden als jemand gesehen, der verantwortungsbewusst, organisiert und überlegt handelt, und nicht nur als jemand, der es den Leuten gerne recht macht.

Fazit:

- Nein zu sagen ist eine der schwierigsten Situationen im Alltag, weil es jedes Mal eine Mini-Konfrontation ist. Aber es gibt viele Möglichkeiten, diesen Teil des Lebens reibungsloser und weniger angespannt zu gestalten.
- Fangen Sie an, „Ich will nicht" statt „Ich kann nicht" zu sagen, denn Ersteres impliziert eine Richtlinie, während Letzteres etwas impliziert, das ausgehandelt werden muss. Gewöhnen Sie sich auch an, zu bestimmten und weit gefassten Kategorien „Nein" zu sagen, denn auch das impliziert eine Richtlinie, für die Sie keine Ausnahmen machen.
- Es gibt unzählige Möglichkeiten, Nein zu sagen. Ein paar kennen Sie bereits,

darunter die einfachste Art: „Nein" als vollständiger Satz. Rechnen Sie damit, dass die Leute heftig auf Sie reagieren werden, wenn Sie in der Vergangenheit ein People-Pleaser und Fußabtreter waren.

- Andere Methoden des Neinsagens sind Präventivmaßnahmen wie das Betonen, wie sehr Sie an andere Menschen gebunden sind und nicht unabhängig handeln können, das Verweisen auf die Tatsache, dass Sie nicht alles auf einmal tun können, das Widerstehen des Moments, in dem Sie einen Zusatz oder Vorbehalt einfügen wollen, das Schaffen von Hürden, die Menschen nehmen müssen, um selbst Ja zu sagen, das Köder- und Angebotsspiel mit verwandten oder nicht verwandten Aufgaben, das Unpersönlichhalten, das Fokussieren auf den spezifischen Umstand, und das Abschieben des Schwarzen Peter an jemanden, der in der Lage zu sein scheint, das anstehende Problem viel besser zu lösen als Sie.

Spickzettel

Kapitel 1: Das fatale Bedürfnis zu gefallen

- Das Bedürfnis, es anderen recht zu machen, mag großzügig und selbstlos erscheinen, aber es ist eine der egoistischsten Verhaltensweisen. People-Pleasing ist aus Angst, Unsicherheit und dem Bedürfnis nach Anerkennung entstanden. Es basiert auf dem traurigen Glauben, dass Sie nicht genug sind und dass Sie daher Ihren Wert steigern müssen, indem Sie die Bedürfnisse und Wünsche anderer erfüllen.

- Die Ursprünge des People-Pleasing-Instinkts können aus einer Vielzahl von Quellen stammen, aber die Dynamik ist immer die gleiche. Sie suchten nach

Anerkennung, wurden abgewiesen und mussten sich auf andere Weise beweisen. Die Erfahrung lehrte Sie, dass Sie bessere Ergebnisse erzielen, wenn Sie den Menschen dienen und sie umschmeicheln, bis dies zu Ihrer natürlichen Umgangsform wurde.

- Dieser Zwang wird durch den Spotlight-Effekt noch verstärkt, bei dem wir den verzerrten Glauben haben, dass uns jeder ständig beobachtet und uns beurteilt. Das ist schädlich für „normale" Menschen, aber es ist noch schlimmer für People-Pleaser, weil es ihre Unsicherheit auf ein nächstes Level hebt, was eine Reihe von schädlichen Verhaltensweisen verursacht.

- Machen Sie keinen Fehler: People-Pleasing ist schädlich. Sie mögen die Anerkennung, die Sie suchen, kurzfristig bekommen, aber sie wird flüchtig und unecht sein. Dann müssen Sie sich mit den Konsequenzen auseinandersetzen - zum Beispiel mit Unterdrückung und Verdrängung, die sich in passiv-aggressivem Verhalten äußern, bis Sie schließlich wie ein Vulkan explodieren, oder mit einer allgemeinen

Beeinträchtigung von Glück und Gesundheit aufgrund der überwältigenden Anzahl von Aufgaben, die Sie sich selbst stellen. Schließlich könnten Sie in ungleichen Beziehungen enden, weil Sie sich in eine untergeordnete Rolle begeben und ständig eine Maske aufsetzen.

Kapitel 2: Die Ursprünge und Ursachen von People-Pleasing

* Es gibt viele Ursachen für People-Pleasing, und sie beginnen mit den Überzeugungen, die wir über uns selbst im Verhältnis zu anderen haben. Einfach ausgedrückt: Wir sind nicht gleich; wir sind in irgendeiner Weise niedriger oder minderwertig. Dies führt zu einer zwischenmenschlichen Dynamik, die das People-Pleasing ermöglicht und sogar belohnt. Ich habe sie in vier Hauptkategorien eingeteilt, die diese Überzeugungen verursachen.

* Die erste ist eine verzerrte Definition von Beziehungen und davon, dass Ihre erste Priorität sein sollte, anderen zu dienen, zum Nachteil von Ihnen selbst. Wenn Sie dieser Überzeugung sind,

253

werden Sie von Schuldgefühlen geplagt, wenn Sie versuchen, gegen sie zu handeln.

- Die zweite Ursache ist ein Gefühl von geringem Selbstwert. Wenn Sie nicht das Gefühl haben, dass Sie anderen gleichwertig sind oder dass andere Sie so akzeptieren, wie Sie sind, dann wird klar, dass Ihre einzige Chance auf Akzeptanz darin besteht, sich verbiegen und die Launen anderer zu ertragen.

- Drittens wurde uns von Kindesbeinen an beigebracht, dass Großzügigkeit und Freundlichkeit bewundernswerte Eigenschaften sind. Einige von uns treiben dies zu weit und verwechseln das Setzen von Prioritäten mit Egoismus und Negativität.

- Schließlich fürchten viele People-Pleaser einfach die Konfrontation. Sie hassen Anspannung und Unbehagen und gehen bis zum Äußersten, um dies zu vermeiden. Sie wollen keine Wellen schlagen und konzentrieren sich ausschließlich darauf, unter dem Radar zu fliegen.

Kapitel 3: Programmieren Sie Ihre Überzeugungen neu

- Ein lebenslanges People-Pleasing führt zu einigen tief verwurzelten Glaubenssätzen, die neu programmiert werden müssen. Eine Möglichkeit zum Ändern von Glaubenssätzen ist die kognitive Verhaltenstherapie. Sie ist ein Weg, schiefen Glaubenssätzen durch Bedacht und dem Aufzeigen negativer Muster entgegenzutreten. Der einfachste Weg, sich das vorzustellen, ist durch BLUE – „B" steht für „blaming myself", „L" für „looking for bad news", „U" für „unhappy guessing" und „E" für „exaggeratedly negative thoughts". Wir können dies auf die vier Hauptursachen für People-Pleasing aus dem vorherigen Kapitel anwenden.
- Sie müssen egoistischer sein. Oft haben wir den Glauben, dass Egoismus immer schlecht und nie gut ist. Die Realität ist, dass Sie egoistisch sein müssen, auch wenn Sie anderen dienen wollen, denn nur dann können Sie mit voller Kapazität arbeiten. Egoismus bedeutet nicht, andere unter die Räder kommen zu lassen, sondern es bedeutet einfach,

dass Sie Ihrem Körper und Ihrem Geist
Priorität einräumen.

- Sie müssen sich selbst akzeptieren und
lieben. Ihre Beziehung zu sich selbst
bestimmt Ihre Beziehung zu allen
anderen, also sollten Sie mitfühlender zu
sich selbst sein und verstehen, dass
Akzeptanz eine Wahl ist - die
typischerweise durch unmögliche
Standards und Erwartungen, die Sie an
sich selbst stellen, erschwert wird.

- Sie müssen glauben, dass
Selbstbehauptung nicht per se schlecht
und gleichbedeutend mit Aggressivität
ist. Überlegen Sie, was Sie an der Stelle
des anderen tun würden, und seien Sie
kreativ, wenn es darum geht, Wege zu
finden, die beide Menschen in einer
Situation weiterbringen.

- Sie müssen Konfrontationen akzeptieren
und sich daran gewöhnen. Eine gute
Methode, um die Angst vor
Konfrontation zu überwinden, ist die
Expositionstherapie. Erstellen Sie
insbesondere eine Angsthierarchie für
sich selbst in Bezug auf Konfrontation.
Dies wird Ihnen helfen, sich an die
Spannung zu gewöhnen und Ihnen auch
zeigen, dass nichts Schlimmes passieren

wird, wenn Sie sich Ihren Ängsten
stellen.

Kapitel 4: Ändern Sie Ihre Gewohnheiten

- Leider neigen wir mit der Zeit dazu,
People-Pleasing als Gewohnheit zu
verfestigen - als automatische Reaktion
auf die Welt. Wir mögen etwas anderes
beabsichtigen, aber wenn unser erster
und zweiter Instinkt darin besteht, zu
gefallen, werden wir nicht besser darin,
uns zu behaupten. Daher wird es
notwendig, einige dieser unbewussten
Gewohnheiten zu ändern, um Ihre
schädlichen Muster zu durchbrechen.

- Erkennen Sie, warum Sie zum People-
Pleaser geworden sind, und Sie werden
erkennen, dass Sie es nicht aus freiem
Willen oder Großzügigkeit tun. Das
können Sie einfach tun, indem Sie sich
selbst fünfmal hintereinander zu fragen,
„warum", um zu verstehen, was hinter
Ihren Handlungen steckt.

- Bauen Sie Autonomie auf und werden
Sie unabhängiger von den Meinungen

und Gedanken anderer. Schätzen Sie Ihre eigenen Meinungen und Gedanken, und ordnen Sie sich nicht automatisch anderen unter.

- Tun Sie weniger und hören Sie auf, einseitige Beziehungen zu schaffen. Sie haben die Menschen darauf konditioniert, sich auf Sie zu verlassen, und um dies umzukehren, müssen Sie ihnen den Raum geben, selbst zu handeln.

- Lassen Sie Ihre Vergangenheit los. Sie hat dazu beigetragen, wer Sie heute sind, aber Sie sind nicht Ihre Erfahrungen und Erinnerungen. Versuchen Sie zu erkennen, wann Sie aus der Vergangenheit heraus handeln oder aus freiem Willen.

- Bleiben Sie unter Druck stark. Wenn Sie mit dem People-Pleasing aufhören, werden Sie mit einigen wütenden Reaktionen konfrontiert werden. Es ist nicht unbedingt die Schuld der anderen, denn Sie haben ihre Erwartungen konditioniert. Aber hier dürfen Sie nicht unter Druck einknicken, wie Sie es früher getan hätten. Es braucht nur fünf

Sekunden extremer Willenskraft, und danach wird es jedes Mal leichter.

- Hören Sie auf, die Verantwortung für die Emotionen und das Glück anderer Menschen zu übernehmen. Jeder ist für seine eigenen Emotionen und sein eigenes Glück verantwortlich. Sie müssen nicht der emotionale Vormund von jemandem sein, vor allem dann nicht, wenn es für Sie schädlich ist.

Kapitel 5: Legen Sie Ihre Grenzen fest

- Starke und klare Grenzen sind eine Ihrer besten Verteidigungen gegen People-Pleasing und gegen die Menschen, die Sie dazu bringen wollen. Sie können jedoch nicht nur in Ihrem Kopf existieren, und sie können nicht so flexibel sein, dass Menschen keinen Grund sehen, sich daran zu halten. Daher müssen Sie sie klar kommunizieren und ausnahmslos durchsetzen.

- Zuerst müssen Sie Ihre Grenzen definieren, indem Sie herausfinden, was Ihre Kern- und Oberflächenwerte sind. So wissen Sie, was Sie schützen sollten und was Sie loslassen können. Kommunizieren Sie sie anderen gegenüber.

- Der andere wichtige Aspekt ist das Festlegen von Konsequenzen und deren Durchsetzung. Das ist das, was passiert, wenn jemand versucht, Ihre Grenzen zu verletzen, nachdem Sie sie kommuniziert haben. Das kann sein, was immer Sie wollen; das einzige, was es nicht sein kann, ist *nichts*. Wenn Sie sich nicht daran halten, entstehen poröse Grenzen, und die so gut sind wie gar keine Grenzen. Grenzen dürfen aber auch nicht zu starr sein.

- Leider werden Sie fast immer irgendeine Art von negativer Reaktion auf Ihre Grenzen haben. Damit müssen Sie rechnen, aber es wird trotzdem schwierig sein. Menschen mögen es nicht, wenn man ihnen Nein sagt, aber das fällt auf die Menschen zurück, nicht auf Sie als Person.

Kapitel 6: Wie man Nein sagt

- Nein zu sagen ist eine der schwierigsten Situationen im Alltag, weil es jedes Mal eine Mini-Konfrontation ist. Aber es gibt viele Möglichkeiten, diesen Teil des Lebens reibungsloser und weniger angespannt zu gestalten.
- Fangen Sie an, „Ich will nicht" statt „Ich kann nicht" zu sagen, denn Ersteres impliziert eine Richtlinie, während Letzteres etwas impliziert, das ausgehandelt werden muss. Gewöhnen Sie sich auch an, zu bestimmten und weit gefassten Kategorien „Nein" zu sagen, denn auch das impliziert eine Richtlinie, für die Sie keine Ausnahmen machen.
- Es gibt unzählige Möglichkeiten, Nein zu sagen. Ein paar kennen Sie bereits, darunter die einfachste Art: „Nein" als vollständiger Satz. Rechnen Sie damit, dass die Leute heftig auf Sie reagieren werden, wenn Sie in der Vergangenheit ein People-Pleaser und Fußabtreter waren.
- Andere Methoden des Neinsagens sind Präventivmaßnahmen wie das Betonen, wie sehr Sie an andere Menschen gebunden sind und nicht unabhängig handeln können, das Verweisen auf die

Tatsache, dass Sie nicht alles auf einmal tun können, das Widerstehen des Moments, in dem Sie einen Zusatz oder Vorbehalt einfügen wollen, das Schaffen von Hürden, die Menschen nehmen müssen, um selbst Ja zu sagen, das Köder- und Angebotsspiel mit verwandten oder nicht verwandten Aufgaben, das Unpersönlichhalten, das Fokussieren auf den spezifischen Umstand, und das Abschieben des Schwarzen Peter an jemanden, der in der Lage zu sein scheint, das anstehende Problem viel besser zu lösen als Sie.

Milton Keynes UK
Ingram Content Group UK Ltd.
UKHW020740280424
441851UK00006B/104

9 781647 433239